土地評価に強い税理士に頼んだら相続税がビックリするほど安くなりました

税理士
岡野雄志・舟田浩幸

あさ出版

《「土地評価の見直し」で 節税・還付に成功しました》

　土地の評価額というものは素人にはわかりません。相続を専門でやっている税理士は少ないのですが、土地の相続がある場合は土地評価に強い税理士に依頼することをおすすめします。　　（神奈川県　女性）

　相続税の得意な税理士にお願いして納税を終えているので積極的ではなかったのですが、別の相続税専門の税理士に見てもらったところ、相続税を納めすぎているので戻ってくるとのこと。「相続開始から5年10カ月以内なので相続税還付の手続きが可能です」とのお話で、依頼。その後は言葉どおりに還付され、納税時の借金返済と子供の教育費に充てました。　　　　　　　　　　　　（群馬県　男性）

　土地評価を見直すと1,000万円以上も相続税負担が軽くなるとは思っていなかったので、大変満足しています。思い切って決断して本当によかったです。　　　　　　　　　　　　　　　　　　（茨城県　女性）

　先日、相続税の納付を終えました。当初の予想より税負担も軽減され、スムーズに納税できたのも、ひとえに依頼した相続税専門税理士の長年にわたる実績、ノウハウ、そして何よりも正しい土地評価のための情報収集によるものと思っております。　　　（埼玉県　男性）

　正直なところ、相続税を申告してもらった税理士も相続税専門の税理士も、どちらも税理士であることに違いはないので、税額に違いがあるとは思えず最初は躊躇しました。相続税専門の税理士にダメモトと思ってお願いしたのですが、結果的に私の予想をはるかに超える額が還付され、驚きました。　　　　　　　　　（神奈川県　女性）

目次

なぜ、相続税を多く払ってしまう人が絶えないのか？ ……………… 9

第1章
相続税節税のポイントは土地評価

- **1-1 会計専門の税理士に適正な土地評価はむずかしい** ……………… 14
  一生に何度もないからこそ、専門家に価値がある
- **1-2 税理士選びで相続税額が変わる** ……………… 16
  相続財産に占める割合32％の「土地」評価に強いのはどんな税理士？
- **1-3 相続税の納めすぎに注意しよう** ……………… 20
  高めの相続税を納めて税務調査を避けるのはよいことか？
- **1-4 払いすぎた相続税は取り戻せる可能性がある！** ……………… 22
  相続税申告を終えた方の実際の例

第2章
相続税の土地評価で押さえておきたい3つの基本的な知識

- **2-1 土地にはそれぞれ評価単位がある** ……………… 26
  土地は評価単位を分け、利用の単位ごとに見ていく
- **2-2 土地評価には2つの方式がある** ……………… 30
  路線価方式と倍率方式を知ろう
- **2-3 土地の形や利用状況によっては土地評価が低くなる** ……………… 32
  市場価値が落ちる要因は、相続税評価でも減額要因

第3章
相続税は土地評価次第で
ビックリするほど安くなる

3-1 広大な土地は評価減できる可能性がある ……………34
「地積規模の大きな宅地」の基本

case1 [地積規模の大きな宅地の評価1]
同じ利用状況の土地を一体の土地として評価 …………………38

case2 [地積規模の大きな宅地の評価2]
倍率地域に所在する広大な土地の評価 ………………………40

case3 [地積規模の大きな宅地の評価3]
市街地にある隣接する農地や山林を一体の土地として評価 ……42

case4 [個別の事情がある土地1]
土地の相続税評価額より売却価額のほうが安かったら? ………44

case5 [個別の事情がある土地2]
形のいびつな土地、間口の狭い土地は評価減できる可能性大 …46

case6 [個別の事情がある土地3]
複数の道路に接している土地は相続税評価を再確認 …………48

case7 [個別の事情がある土地4]
道路に接していない市街地の「無道路地」の評価 ………………50

case8 [個別の事情がある土地5]
敷地の中に斜面があると「がけ地」の評価減の対象に ……………52

case9 [個別の事情がある土地6]
登記簿の面積よりも実物が小さい土地に注意 …………………54

case10 [個別の事情がある土地7]
幅が狭い道路に接している土地の評価 ………………………56

case11 [個別の事情がある土地8]
庭内神し(社や祠)は非課税になる …………………………58

case12 [個別の事情がある土地9]
道路との間に水路がある宅地の評価 …………………………60

目次

COLUMN　埋蔵文化財包蔵地は評価減が認められる？……62

case13［個別の事情がある土地10］
赤道・青道が敷地内にある土地の評価………………………64

case14［周囲の環境によって評価減が認められる土地1］
墓地や葬儀場近くの土地の評価（10％減）……………………66

case15［周囲の環境によって評価減が認められる土地2］
線路や踏切の近くで騒音に悩まされる土地の評価（10％減）………68

case16［周囲の環境によって評価減が認められる土地3］
道路との間に高低差のある土地の評価（10％減）………………70

case17［都市計画による評価減が認められる土地1］
異なる容積率が指定された地域にまたがる土地の評価…………72

case18［都市計画による評価減が認められる土地2］
都市計画道路の予定地の評価………………………………74

case19［都市計画による評価減が認められる土地3］
区画整理事業中の土地評価は工事の進捗度で判断……………76

case20［都市計画による評価減が認められる土地4］
市街化調整区域内の雑種地は
付近の似た状況の土地をもとに評価…………………………78

case21［都市計画による評価減が認められる土地5］
市街化調整区域内の雑種地で
宅地をもとに評価する場合、しんしゃくを行う…………………80

case22［造成する必要のある土地1］
市街地農地や砂利敷き駐車場は
将来かかる宅地造成費も想定………………………………82

case23［造成する必要のある土地2］
市街地の農地や山林で傾斜がある土地は、
宅地造成費が控除できる……………………………………84

case24［造成する必要のある土地3］
市街地にある傾斜の大きい山林は大幅に減額できる……………86

case25［他者の権利が関わる土地1］
敷地内に誰でも自由に通り抜けられる私道がある………………88

case26　[他者の権利が関わる土地2]
高圧線が通る土地は建築制限の内容で減額割合が決まる……………90

case27　[会社が所有している土地]
会社所有の土地評価は非上場株式の評価額に影響する……………92

第4章
相続税の節税のためにやっておきたい生前対策（不動産関係）

4-1 生前対策での不動産の基本を押さえよう……………96
生前対策の基本は、自分の所有している不動産をよく知ること

4-2 なぜ相続税対策で不動産が重要なのか……………98
相続税対策のために不動産の評価のしくみを知る

4-3 相続税を大幅に軽減できる「小規模宅地等の特例」の基本…103
小規模宅地等の特例を見据えて生前対策をする

4-4 特定居住用宅地等なら自宅の評価額が80％減額……………107
多くの相続で利用されているため上手に活用しよう

4-5 同居の親族が「特定居住用宅地等」を取得して小規模宅地等の特例を利用する…109
「同居」の「親族」に該当するためには？

4-6 借家住まいの親族なら「家なき子特例」の適用を……………113
「家なき子」に該当する親族はいませんか？

4-7 貸し付けている土地があれば「貸付事業用宅地等」を利用する…115
取得者の要件がゆるい貸付事業用宅地等を活用しよう

4-8 被相続人の個人事業または同族会社の事業用宅地で節税…117
該当すれば限度面積400㎡、減額率80％で多額の節税

4-9 生前対策の基本　贈与税のしくみを理解する……………120
贈与税には暦年贈与と相続時精算課税制度がある

4-10 不動産贈与での贈与税非課税の特例……………125
贈与税も相続税も節税して不動産を贈与する

4-11 贈与税の特例を使わずに建物を贈与する ………………… 129
　　　すでに所有している建物を贈与して節税する

4-12 相続開始後にしないほうがよい2つのこと ……………… 133
　　　不必要な土地の実測や特定路線価の申請をすると相続税が増える

4-13 不動産を活用した「相続税対策」のリスク ……………… 135
　　　リスクを理解して相続税対策をする

COLUMN　遺産分割の注意点「土地の共有」にはリスクがある … 137
　　　　　　封じられた"タワマン節税" ………………………… 138
　　　　　　区分所有オフィスで相続税対策! ………………… 140

第5章
相続発生時でもまだ間に合う
不動産での節税ポイント

5-1 相続発生時でもまだ間に合う不動産での節税 ………… 142
　　　相続が発生してから可能な節税策を知る

5-2 小規模宅地等の特例を効果的に使うポイント1 ……… 146
　　　小規模宅地等の特例は、誰がどの土地を取得するかが重要

5-3 小規模宅地等の特例を効果的に使うポイント2 ……… 149
　　　とても重要な「遺産分割協議」と「相続人全員の同意」

5-4 二次相続でも小規模宅地等の特例を適用する ………… 153
　　　有効な制度を最大限に利用する方法

5-5 配偶者居住権と敷地利用権を検討する ………………… 159
　　　配偶者居住権と敷地利用権の概要を知る

5-6 配偶者居住権のメリットとデメリット ………………… 164
　　　配偶者居住権のメリットとデメリットを比較して適用を考える

COLUMN　下落した株を物納できるって本当? ………………… 166

第6章
不動産オーナー必見!
不動産売買で損をしないための基礎知識

- 6-1 不動産を売却するときにかかる税金の基本を押さえる ……… 168
  不動産の売却益に対する税金の計算方法

- 6-2 相続した空き家の売却に使える3,000万円特別控除 ………… 174
  (空き家の特例)
  空き家となっている被相続人の自宅を売却する際に使える特例

- 6-3 マイホームの譲渡所得が3,000万円以下なら ………………… 176
  税金がかからない(3,000万円特別控除)
  マイホームの売却なら所有期間に関係なく使える特例

- 6-4 10年超所有のマイホームの売却は税金が軽減される ……… 178
  (10年超所有軽減税率の特例)
  譲渡所得の6,000万円以下の部分が大幅に軽減される特例

- 6-5 取得費が不明なときは「概算取得費」だけでなく ……………… 181
  「市街地価格指数」を検討して大幅節税
  概算取得費に代わる方法で譲渡所得税を節税する

- 6-6 納付した相続税を譲渡所得の取得費に加算する ……………… 184
  (取得費加算の特例)
  相続した不動産に相続税がかかっていれば使える特例

- 6-7 相続でのケース別譲渡所得の特例の活用 …………………… 187
  相続に関連する不動産売却で損をしないために

- COLUMN 限定承認とみなし譲渡所得課税 ……………………… 191

- 6-8 こんな仲介業者には気をつけよう① ………………………… 192
  売却で後悔しないために物件査定の基礎知識を身につける

- 6-9 こんな仲介業者には気をつけよう② ………………………… 194
  査定価格があまりにも高い不動産会社や
  囲い込みをする不動産会社に注意

- おわりに ……………………………………………………………… 198

なぜ、相続税を多く払ってしまう人が絶えないのか？

■ 相続される財産の32％は"土地"

突然ですが、皆さんは、相続財産の中で「土地」が占める割合がどれくらいか、ご存じでしょうか？

答えは32％。現金・預貯金（35％）とともに相続財産の中で高い割合を占めているのは、土地なのです（「国税庁令和5年分 相続税の申告事績の概要」より）。

ところが、私たちにとってこのように身近な相続財産である土地が、申告時に正しく評価されず、その結果、相続税を納めすぎてしまうといった事例も起こり得る……といったら驚かれるでしょうか？ しかも、そういったケースは決して珍しいことではありません。

なぜ、そんなことが起きてしまうのでしょう？

■ 相続税申告経験がない税理士がいる!?

相続税の土地評価はとてもむずかしく、税理士だからといって、正しく評価できるとは限りません。理由として、そもそも税理士の多くが相続税申告を行ったことがないか、あるいは不慣れであるということが挙げられます。

年間の相続税申告数は2023年分で15万5,740件（同上）。これを全税理士の数8万1,570人（2024年12月末日時点）で割ると、1.91という数字が出ます。

これはいったい、何を意味しているでしょうか？ そう、税理士が相続税申告を担当する件数は、一人あたり年間に2件もないのです。ですから、所得税、法人税専門の税理士なら、一度も相続税申告をしたことがない、ということがあっても不思議ではありません。

そう考えれば、相続税申告にあたって土地を正しく評価できる税

理士がいかに少ないか、ということがご理解いただけるでしょう。

さらに、土地評価には専門的な知識が必要になります。

相続税申告で土地を評価する際には、評価額が下がる要素（＝減額要因）がないか検討するのが一般的ですが、そもそも土地評価の知識がなければ、評価額を高く設定することになってしまうのです。

■ 相続税を納めすぎていても取り戻せる！

土地評価は、相続税専門の税理士に依頼しなければ、正しく算定してもらえない可能性がある、ということがおわかりいただけたでしょう。

もっとも、正しい評価がなされないのは、税理士の姿勢にも原因があります。一般的に、相続税専門でない税理士は、税務署から追加で相続税を課されることを恐れるあまり、土地を高めに評価してしまう傾向があるのです。また、土地評価はグレーゾーンな部分も多く、評価額が税理士によって大きく変わる要因となっています。

また、申告内容が税務署から却下された場合には、処分の取消しや変更を求める「不服申立て」の手続きを行うことができるのですが、税務署とケンカをしたくないからか、この手続きをしたがらない税理士も多くいるようです。

いったい、誰のために申告をしているのでしょうか。

私自身の経験では、正しく土地評価を行うと、多くのケースで他の税理士が計算した申告額より低く抑えることができました。たとえ税務署との交渉が難航しても、粘り強く交渉したところ、主張をすべて認めてもらえたこともありました。ひるむことなく税務署と戦うことが重要なのです。

ここまで読んで「でも、税法で決まっていることだし、そんなに低く抑えられないよ」という人がいるかもしれません。

実は、あまり知られていませんが、相続発生から5年10カ月以内

であれば、一定の手続きを実施することで、納めすぎた相続税を取り戻すことができます。これを「還付（＝更正の請求）」といいます。

当社は、適正に土地評価を行って相続税の負担を軽減すること、すでに相続税申告を済ませた場合でも土地評価を見直すことで還付を実現することを得意としています。累計194億円もの相続税還付に成功しており、これまでに全国で2,898件、還付平均額約671万円、成功率87.53％（2025年3月末時点）という実績があります。これらはすべて、納税者の側に立った活動だったからだと自負しています。

■ 納税調査率が低いということは、本当に相続人にとってよい相続税申告なのでしょうか？

税理士の中には納税額をあらかじめ多めに申告することで税務調査を回避するケースがみられます。また万が一税務調査が入った場合に、税務調査対応経験の少ない税理士が立ち会い・交渉をすることになります。

これでは申告書提出後も税務調査に対する不安が残ってしまい、お客様本位の相続税申告とはいえません。

当社は全国各地の税務署と地道な交渉を繰り返した結果、累計194億円（2,898件、2025年3月末時点）の相続税還付成功実績があります。

つまり、相続税還付に成功した分だけ税務署と交渉してきた実績があるということです。

万が一税務調査が入ったとしても、これまでの実績に裏付けされた経験をもとに適切な税務署対応を行い、追徴税額を最大限抑えることが可能です。

■ 納税者も「当事者」となる意識を

こういった話をすると、「それなら、相続税（土地評価）に強い税理士にすべて任せてしまおう」という方もいます。

しかし、それは少し違います。確かに税理士は納税者のお役に立つことはできますが、相続税は皆さんの利害に直結する大きな額であることが多く、重大な問題です。

　したがって、納税者自身が「当事者」であるという意識を持たなければいけません。そのためには、まず納税者たる相続人の方々が土地評価の基礎知識を身につけておくことが不可欠です。

　2015年12月に出版した本書（前著）を2025年に全面的に改訂し再び世に送り出す意図も、まさにそこにあります。

　本書の第3章に当社が担当した27の事例を収録しました。もし、皆さんがお持ちの土地で似た条件のものがあれば、参考になさってください。土地評価の基本を知ることで、税理士の話をよりよく理解できるでしょう。さらに、将来、新たな相続が発生しても、不必要な税金を納めるリスクを避けることができます。

　最後になりましたが、納税者の皆さんが悔いのない相続をされるために、本書の内容が少しでもお役に立てば幸いです。

　なお、本書に記載の事例や相続税対策は、2025年1月時点の法令に基づき執筆しております。

　相続税法は毎年改正が行われるため、最新の情報を確認し、税理士に相談しながら相続税申告を行ってください。

税理士　岡野雄志

第1章

相続税節税の
ポイントは土地評価

相続財産の中で税理士によって評価額が分かれるのが土地。そのため、土地評価を適正に行うことは相続税の節税につながる。

主な内容

- 会計専門の税理士に適正な土地評価はむずかしい
- 税理士選びで相続税額が変わる
- 相続税の払いすぎに注意！
- 払いすぎた相続税は取り戻せる可能性がある

1-1
会計専門の税理士に適正な土地評価はむずかしい

一生に何度もないからこそ、専門家に価値がある

■会計専門の税理士では、相続税を納めすぎるおそれがある！

　当社設立以来、2,898件（2025年3月末時点）の相続税還付を成功させてきた中で著者が感じたのは、相続税申告を専門外の税理士に頼むことのリスクがいかに高いかということです。実際に相続税が還付された方々は、当初の申告時に、普段お世話になっている法人税や所得税専門の税理士に頼んでいる場合が多く、相続税専門で正確な土地評価の知識がある税理士に頼んでいなかったのです。

　では、なぜ、相続税が専門でない税理士に頼むと「相続税の納めすぎ」が起きやすくなってしまうのでしょうか。そのことを理解するためには、まず、税理士にもそれぞれ専門分野があるということを知っておかなければなりません。

■土地評価は医療でいうと「外科医」のようなもの？

　このことはよく、「内科医」と「外科医」のたとえ話で説明されます。日常生活で風邪をひいたり体調がすぐれなかったりする場合に行くのは、内科です。内科では内科医に診察をしてもらい、薬を処方してもらいます。一方、外科医は手術をする医師を指します。人にもよりますが、普段の生活では外科医よりも内科医のほうが利用する機会が多いでしょう。

　これを税務に置き換えて考えてみると、内科医が法人税や所得税専門の税理士、外科医が相続税専門の税理士と考えられます。申告時期があり、定期的に納税をする法人税や所得税に対し、相続税は一生に

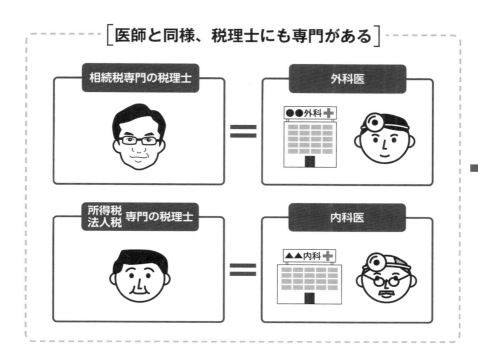

何度も納税する機会はないものであり、相続税申告を法人税や所得税専門の税理士に頼むことは、内科医に外科手術を頼むようなものなのです。

■**相続税申告の実務で、最もむずかしいのは土地評価**

年間の相続税申告数を税理士の数で割ると約1.94件、税理士一人あたり年間2件足らずにすぎません。対して当社では年間に584件以上の相続税案件（申告・還付）を取り扱っています（2024年度実績）。

相続税申告の実務において最もむずかしいとされているのが土地評価です。そのため、相続税申告数が少なく知識や経験が浅い専門外の税理士が、正確な土地評価を行うことはきわめて困難なのです。

1-2 税理士選びで相続税額が変わる

相続財産に占める割合32%の「土地」評価に強いのはどんな税理士?

■相続税額が税理士によって違うのは専門知識・経験の差

どうして相続税額が税理士によって違うのでしょうか。

相続税申告業務で特に大事なのは土地評価ですが、それは相続財産のうち約32%は土地であり、加えて土地は評価がむずかしいからです。他の財産は評価方法がそれほど複雑ではなく、相続税が専門でない税理士が評価しても財産額に大きな影響が出にくいということです。

では、正確な土地評価は行うにはどのような知識が必要でしょうか。まず、不動産の知識と現地調査や実務の経験が必要です。例えば、当社では2024年には約7,399カ所の土地評価を行っています。その際には、現地調査を行い、地図で見えない土地の状況(高低差など)や近隣に潜む減額要因(電車等の騒音や忌み地)を評価に反映させる努力を行っています。また、役所調査を行い、評価減につながるところを洗い出すことも大切です。容積率のまたがりや土地に面する道路種別、土地にかかる法的規制などを調べる必要があります。時間・労力・知識・経験が必要で、机上の調査だけでは不足するのです。

最新の情報に目をくばり、判例・事例、税制改正の情報、災害特例など、節税につながる情報をチェックする必要もあります。

このような税理士の知識や経験の差によって相続税額が変わってくるため、節税には相続税の専門税理士に申告を依頼することが必要です。具体的には、18、19ページのような土地を相続する場合、評価減を見逃さないよう、注意が必要です。

［相続税専門外の税理士にとって土地評価がむずかしい理由］

当社では、年間 7,400 カ所の土地評価を見直している。経験があまりない相続税専門外の税理士に比べて膨大な経験を常に蓄積している。

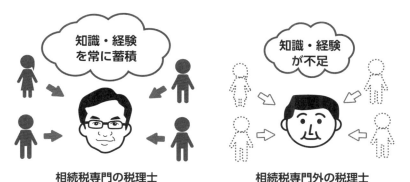

［同じ土地でも税理士によって評価が違う場合がある］

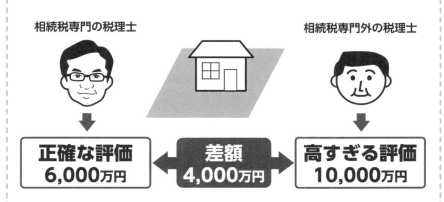

とくに土地評価は税理士によって評価額に差が出る可能性が大きい。**相続税の専門家**に任せたほうが適切な評価を受けることができる。

あなたの財産に、このような土地がありませんか？

形のいびつな土地（不整形地）

鳥居（とりい）や祠（ほこら）がある土地

空中に高圧線が通っている土地

幅の狭い道路に面している土地

墓地に隣接している土地

高低差のある土地

埋蔵文化財包蔵地

線路や踏切に接している土地

傾斜のある土地や一部ががけになっている土地

近隣に比べて広めの土地（三大都市圏内で500㎡以上、三大都市圏外で1,000㎡以上）

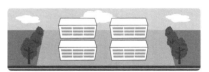
2棟以上の貸家を建てている土地

～これらは減額の可能性があります～

実際の土地の面積が登記簿より小さい場合

間口が狭く奥行が長い、縦長の土地

自分以外の人も使っている私道がある

近隣の建物の高さに差がある土地

市街地の山林

道路に接していない土地（無道路地）

2本の道路に面しているが片面の接面部分が小さい土地

凸凹のある土地

土地区画整理事業施行中の土地

都市計画道路の予定地

第1章　相続税節税のポイントは土地評価

1-3 相続税の納めすぎに注意しよう

高めの相続税を納めて税務調査を避けるのはよいことか？

■相続税が過大な額になる理由

　相続税が過大な額になる理由のひとつとして、税務調査を避けるため納税額を高くしていることがあります。

　税務調査は通常、午前10時頃から始まり、午前中は質疑応答、午後は現物確認となります。質疑応答はたいてい和やかな雑談から始まります。しかし、この世間話のような会話にも調査目的の質問が隠されています。税務調査官からのよくある質問と、その真意をピックアップしました。次ページをご参照ください。

　このような税務調査の割合（税務調査率）はコロナの影響で近年低下していましたが、コロナ収束後は、税務調査率がアップしています。また、税務調査を受けた場合の申告漏れ等の指摘割合も高く、税務署は税金をとれる可能性が高いところを中心に調査を行っている状況もうかがえます。

■コロナ収束後に増える税務調査に、適切に対応する

　とはいえ、税務調査を恐れるあまり、税務署寄りの高い評価額で多額の相続税を納めるのがよいことなのでしょうか。

　高い納税額であれば、税務調査は入りにくいでしょう。しかし、それでは適正な納税とはいえません。その点、当社は相続税のプロとして適切な納税額となるよう鋭意努力し、その結果として節税を実現しています。そのうえ、税務調査が来ても適切に対応できるノウハウがあります。

[税務調査での質問と、その真意]

被相続人が他界されたのは〇年〇月〇日でしたね。亡くなった原因は？

被相続人の死亡時の状況、入院先、意思決定能力があったかどうか、死亡直前の贈与の有無などが質問として展開されていきます

被相続人を最期まで介護されたのはどなたですか？

法定相続人以外の看護や介護をした人に相続財産が渡っていないかどうかを確かめる質問です

生活費はどなたが捻出されていましたか？

被相続人の職業・職歴や事業、資産状況についても確認されます

被相続人と相続人の取引銀行、取引証券会社を教えてください

申告から漏れている預貯金、株式や有価証券がないかどうかをチェックする質問です

重要書類の保管場所はどこですか？

金庫や書庫の中など、現物を調査されます。いわゆるタンス預金などがあれば、それも調べられることもあります

あなたの預金通帳で被相続人が管理されていたものはありますか？

相続人の預金の入出金など被相続人が実質的に管理していたものがあれば、それは「名義預金（実質的には被相続人の預金）」とみなされます。また、被相続人の預貯金を相続人が管理している場合、入出金は被相続人以外が行っていたのではないか、預貯金がどこに流れているかも問われます

※被相続人：亡くなった人

　皆さんにも、「税務調査率が低くなったから、税務調査が入る可能性が低い」などと考えるのではなく、適正な申告となるよう心がけていただきたいと思っています。

1-4 払いすぎた相続税は取り戻せる可能性がある!

相続税申告を終えた方の実際の例

■必要書類をそろえて税務署に提出

　相続税を納めすぎても、払い戻してもらう方法があります。更正の請求を行い、還付を受けるのです。

　更正の請求とは、国税通則法第23条に則って相続税申告時の誤りによる過払い分を請求することです。提出に必要な書類をそろえて税務署に提出すると、「更正通知書」「国税還付金振込通知書」が税務署から届き、還付金が振り込まれます。

　提出に必要なものは、

・相続税の更正の請求書
・更正の請求の正当性を証明する書類等

です。必要書類をそろえて税務署に提出すると税務署で審査が行われ、請求が認められれば「相続税の更正通知書」が届きます。審査にはおよそ2～3カ月かかります。「相続税の更正通知書」が届いたのち、およそ1カ月ほどで「国税還付金振込通知書」が届き、指定口座に還付金が振り込まれるという手順です。

■相続税の更正の請求の期限は5年10カ月

　相続税の「更正の請求」を行えるのは、原則として相続税申告期限から5年間です。申告期限は、被相続人が亡くなったことを知った日の翌日から10カ月間なので、相続開始から実質5年10カ月以内となります。

　なお、特別な事情がある場合は、このかぎりではありません。特別な事情とは次の①～⑤に挙げる事情です。

①未分割の財産が分割された場合
②認知、廃除などによる相続人の異動があった場合
③遺留分侵害請求権による返還があった場合
④未分割の財産が分割されたことにより、軽減措置や特例が適用される場合
⑤遺贈に関わる遺言書の発見、遺贈の放棄があった場合

　上記のような事情がある場合には特例（相続税法第32条：更正の請求の特則）として、5年10カ月を過ぎていても、事由が発生した日の翌日から4カ月以内であれば「更正の請求」を行うことができます。

■事例に見る典型的なケース

　最後に更正の請求の典型的な例を次ページに挙げておきましょう。なお、第3章のケーススタディで紹介しますが、
・三大都市圏内では500㎡以上の面積を有する土地
・三大都市圏以外では1,000㎡以上の面積を有する土地
・線路沿いに位置する土地
・無道路地
・傾斜地
・高圧線下にある土地
・不整形地
・墓地（忌み地）に隣接した土地
・庭内神しのある土地
・登記簿情報より実際の土地面積が小さい土地

などは、実際に評価減が考慮されていなかった土地です。適切に土地評価を行えば、あなたの相続税はもっと安くなる可能性があります。
　当社では、これまで2,898件もの還付を実現してきました。これらはすべて、納税者側に立った活動だからと自負しています。

［土地評価が適切でなく、相続税を多く支払ったケース］

相続時の状況

被相続人	母（年齢：80代）
相続人	2人（子供2人）　相談者：長男
遺産	自宅、賃貸アパートの土地等　3億円 預貯金　1億円
債務	1,000万円
遺産分割	遺言がなく遺産分割協議書が必要
評価のポイント	相続財産のうち土地の占める割合が高く、土地評価次第で相続税が変動する

経緯：所得税の税理士に初めの申告を依頼した
納付済の相続税額：1億1,000万円

家系図

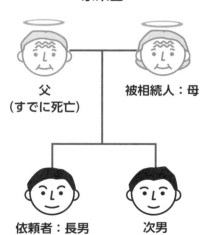

〈見直し後の申告〉

500㎡以上の貸地があり地積規模の大きな土地として評価

更正の請求で2,000万円が還付

第 **2** 章

相続税の土地評価で押さえておきたい3つの基本的な知識

ケース・バイ・ケースで計算する土地評価にも、頭に入れておきたい基礎知識がある。評価単位、評価額の算出法など、本章では土地評価の基本について解説する。

主な内容

- 土地には評価単位がある
- 土地評価には2つの方式がある
- 土地の形や利用状況などによって評価額は変わる

2-1 土地にはそれぞれ評価単位がある

土地は評価単位を分け、利用の単位ごとに見ていく

■原則として取得者ごと、地目ごとに評価を行う

　土地を相続税評価する際には、原則として取得者（誰が相続したか）ごと、地目（宅地、畑など）ごとに評価を行います。地目とは、土地の主要な用途による区分のことで、相続税の評価上は以下の9つに分類されます。

①宅地……建物の敷地及びその維持もしくは効用を果たすために必要な土地
②田………農耕地で用水を利用して耕作する土地
③畑………農耕地で用水を利用しないで耕作する土地
④山林……耕作の方法によらないで竹木の生育する土地
⑤原野……耕作の方法によらないで雑草、かん木類の生育する土地
⑥牧場……家畜を放牧する土地
⑦池沼……かんがい用水でない水の貯留池
⑧鉱泉地…鉱泉（温泉を含む）の湧出口及びその維持に必要な土地
⑨雑種地…以上のいずれにも該当しない土地（主に駐車場）

　最後の⑨雑種地について少し説明しましょう。
　上記①～⑧の地目の、いずれにも該当しない土地が雑種地となります。雑種地を代表する土地の用途としては駐車場があり、その他資材置き場やゴルフ場なども該当します。

■判断の基準は「相続当時（課税時期）の現況」

　このような地目の判断の基準となるのは、登記簿上の記載ではなく

※2章に掲載の事例はすべて、税率50％として計算しています。

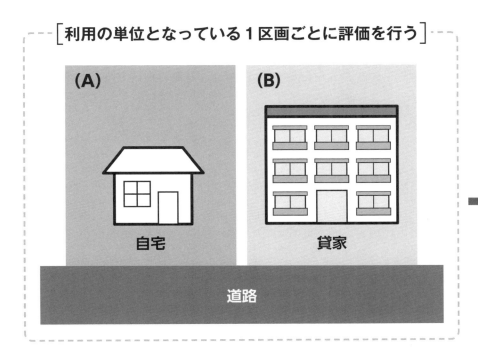

「相続当時（課税時期）の現況」です。

　例えば、登記簿上の地目に「雑種地」となっている土地があったとしても、課税時期にアパートの敷地となっていたのであれば「宅地」として評価されるということです。登記簿上の地目にかかわらず、課税時期の現況が評価の基準となります。

　また、土地については、「取得者ごと」「地目ごと」の2大原則に加え、利用の単位（土地ごとの利用の区分）という判断基準を加えて評価単位を分けます。

　上の図表をご覧ください。同一の相続人が取得した土地に、自宅（A）と貸家（B）が隣り合って建っています。AもBも建物の敷地なので地目は「宅地」となりますが、Aは自宅として自分で使っていた土地であるのに対し、Bを実際に利用しているのは貸家の居住者です。このように利用の区分が異なるもの（他人に貸しているかなど）は、別の土地として分けて評価します。

■「評価単位」の細分化が評価減への第一歩

　評価単位を分けることは、相続税の土地評価における基本中の基本です。一見すると、ひとまとまりの土地でも取得者ごと、課税時期の地目ごと、利用の単位ごとに評価単位を判定し、土地の相続税評価額を算出していくのです。

　次ページ上段で、今一度、評価単位の分け方を確認してみましょう。まず、駐車場と宅地では土地の地目が異なるので区分けします。

　さらに取得者（A、B）ごとに分け、最後に同じBさんが相続した土地でも、Bさんの自宅敷地とCさんに貸している土地は利用単位が異なるので分けて評価します。こうして評価単位は①〜④の4つになります。

　繰り返しになりますが、このような区分けは、相続税の評価額を算出するための基本的な作業です。ところが、土地の評価の考え方についてよく知らずに、ひとまとまりの土地を区分けせず、1単位として評価してしまうケースを度々目にします。

　評価単位ごとにきちんと分けないと、**誤って土地を高く評価することになりがち**です。

　ひとつ、実際に誤って評価していた事例を次ページ下段に紹介します。この土地は相続発生時に4軒の貸家の敷地と2カ所の駐車場、および通行用の私道の敷地として使われていました。

　初めの申告では全体を1単位として評価していたのですが、正確には駐車場と私道を分け、さらに宅地を貸家の敷地ごとに4つに分けるべきでした。この7単位で再評価したところ、道路から離れた土地が生じたために減額できることがわかりました。また、他人に貸している土地であることによる減額などもあり、相続税評価額は1,000万円減額され、500万円が還付されました。

[土地の評価単位に関する考え方]

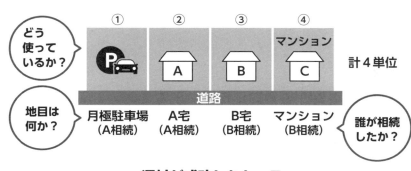

還付が成功したケース

― 基本データ ―
① 貸家の敷地・駐車場・私道　② **360㎡**

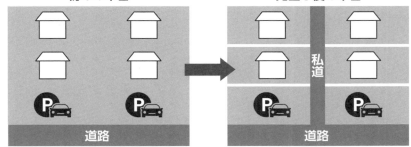

評価の要因① ▶ 土地を1つずつ分けると、道路から離れた土地ができる
評価の要因② ▶ 他人に貸していて所有者が自由に使えない

①初めの申告での評価額	**6,000万円**
②見直した後の評価額	**5,000万円**
①-②(減少額)	**1,000万円**

還付額：1,000万円 × 税率50% = 500万円

還付額 500万円

2-2 土地評価には2つの方式がある

路線価方式と倍率方式を知ろう

■「路線価方式」は市街地で、「倍率方式」は郊外で

相続財産の評価額というのは、基本的に時価によって定められます。ただし、土地の時価は実際に売買取引をしない限り、決めるのが困難です。そのため土地の相続税評価額を算出する際は、「路線価方式」もしくは「倍率方式」のどちらかを国税庁ホームページ掲載の「財産評価基準書」に基づいて計算します。主に市街地では「路線価方式」、郊外では「倍率方式」が採用されます。

路線価方式とは、国税庁が発表する路線価（道路ごとに定められた1㎡あたりの土地の価額）によって評価額を決めるものです。その年の1月1日の価額が基準となっており、通常、毎年7月に国税庁によって公表されます。

倍率方式とは、固定資産税評価額に国税局長が定めた倍率を乗じ、評価額を決めるものです。倍率方式は、農村部や山間部、郊外の建物があまり建っていない地域の土地で使われます。

次ページの図は路線価方式による計算方法を例示したものです。
路線価方式の計算方法は、次の計算式で求めます。

$$評価額＝路線価×各種補正率^{※1}×土地の面積$$

図を見ると、土地は路線価が45万円の道路に面しており、面積は300㎡です。整形な土地であるため、補正率は1.00であるとして計算を行うと、45万円×1.00×300㎡となり、評価額は1億3,500万円となります。

※1 各種補正率：土地自体の形状を評価に反映するための補正率（奥行価格補正率、間口狭小補正率、奥行長大補正率等）。

［路線価方式による計算式］

評価額 ＝ 路線価 × 奥行価格補正率[※2] × 土地の面積

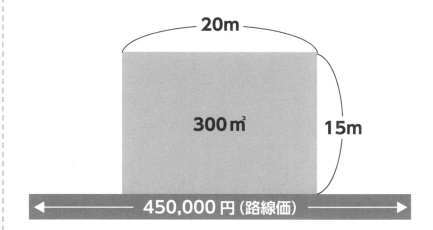

上記の例を公式に当てはめると…

450,000円 × 1.00[※2] × 300㎡ ＝ 135,000,000円

上記の土地の評価額は 135,000,000円

※2 奥行価格補正率表の普通住宅地区を参照した場合
（奥行価格補正率は、土地の所在する地区区分ごとに、奥行距離に応じて定められている割合であり、国税庁のホームページ等で確認できる）

2-3 土地の形や利用状況によっては土地評価が低くなる

市場価値が落ちる要因は、相続税評価でも減額要因

■土地評価は千差万別

　どれひとつ同じ土地というものはなく、形や利用状況、周囲の環境などによって評価額は大きく変わってきます。

　例えば、整形で平坦な土地と比べて、不整形な土地や崖のある土地はそれだけ市場価値も落ちます。そのため、相続税評価額でも考慮され、減額要因となります。

　また、整形で平坦な土地であっても、線路の近くのように周囲の環境によって市場価値が落ちるようなものもあります。

　これらの事情を相続税評価に加味することで、減額へとつながるのです。

■当社で相続税を見直された方の約87％が相続税を納めすぎ！

　ひとつひとつの土地の個性を把握し、減額要因につながる事情を見つけ出すことにより、土地の相続税評価額は大きく変わってきます。

　実際に、当社において相続税を見直された方のうち、87％（2024年12月末時点）の方が相続税を納めすぎていることから、多くの税理士が土地評価における減額要因を見逃しているのが現状であるといえます。

　相続税評価を行うために、いかに土地評価の知識や経験が重要かということがわかります。

第 **3** 章

相続税は土地評価次第でビックリするほど安くなる

土地評価といっても、さまざまなケースがある。その解説とともに、実際に著者が関わった27の実例を紹介する。

主な内容

- 地積規模の大きな宅地とその評価
- 個別の事情がある土地
- 周囲の環境によって評価減が認められる土地
- 都市計画による評価減が認められる土地
- 造成する必要のある土地
- 他者の権利が関わる土地
- 会社が所有している土地

3-1
広大な土地は評価減できる可能性がある

「地積規模の大きな宅地」の基本

■「地積規模の大きな宅地」の評価方法

　地積規模の大きな宅地とは、三大都市圏においては500㎡以上の地積の宅地、三大都市圏以外の地域においては1,000㎡以上の地積の宅地のうち、いくつかの条件（次ページのフローチャート参照）を満たす土地のことです。この宅地に該当すると評価を減額できる可能性があります。

　また、三大都市圏とは、首都圏・近畿圏・中部圏の市街地・都市（整備）区域で、具体的には37ページに挙げた市区町村です。

　なお、路線価地域の場合、地積規模の大きな宅地の適用要件は、大きく分けて4つあります。

①**面積要件**

　三大都市圏においては500㎡以上、それ以外の地域においては1,000㎡以上の地積を有していることです。

②**地区区分要件**

　ビル街地区、高度商業地区、繁華街地区、普通商業・併用住宅地区、中小工場地区及び大工場地区、普通住宅地区の7つに分けられた地区区分のうち、普通住宅地区または普通商業・併用住宅地区にあるということです。

③**都市計画要件**

　市街化調整区域に所在していないこと（なお、市街化調整区域でも、都市計画法第34条第10号または第11号の規定に基づき宅地分譲に係る同法第4条第12項に規定する開発行為を行うことができる区域

※3章に掲載の事例はすべて、税率50％として計算しています。

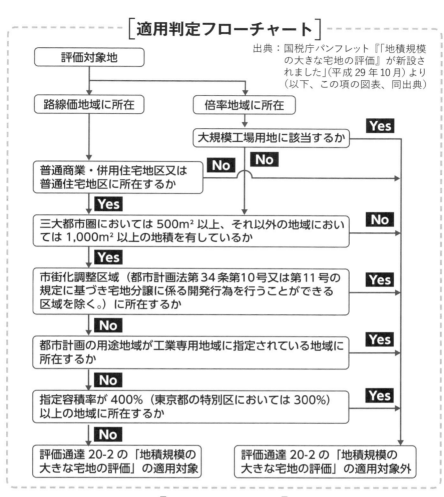

であれば、地積規模の大きな宅地の評価は可能)、都市計画法の用途地域が工業専用地域に指定されている地域に所在していないこと、の2つの要件があります。

④指定容積率要件(都市計画法)

指定容積率が400%(東京都の特別区においては300%)以上の地域に所在していないことです。

また、評価方法は路線価地域の場合、

$$評価額 = 路線価 \times 奥行価格補正率 \times \begin{matrix}不整形地補正率\\などの\\各種画地補正率\end{matrix} \times 規模格差補正率 \times 地積(㎡)$$

であり、倍率地域の場合は次の①・②の価額のいずれか低いほうで評価します。

①その宅地の固定資産税評価額に倍率を乗じて計算した価額
②その宅地が標準的な間口距離および奥行距離を有する宅地であるとした場合の1㎡あたりの価額に、普通住宅地区の奥行価格補正率や不整形地補正率などの各種補正率の他、規模格差補正率を乗じて求めた価額に、その宅地の地積を乗じて計算した価額

また、規模格差補正率とは地積規模の大きな宅地の評価額を計算するときに用いる補正率のことで、次の計算式で算出します(小数点以下第2位未満は切り捨てます)。

$$規模格差補正率 = \frac{A \times B + C}{地積規模の大きな宅地の地積(A)} \times 0.8$$

なお、計算式の「B」および「C」は、地区区分に応じて、それぞれ前ページ「規模格差補正率」の表のとおりです。

三大都市圏に該当する都市（平成28年4月1日時点）

圏名	都府県名		都市名
首都圏	東京都	全域	特別区、武蔵野市、八王子市、立川市、三鷹市、青梅市、府中市、昭島市、調布市、町田市、小金井市、小平市、日野市、東村山市、国分寺市、国立市、福生市、狛江市、東大和市、清瀬市、東久留米市、武蔵村山市、多摩市、稲城市、羽村市、あきる野市、西東京市、瑞穂町、日の出町
	埼玉県	全域	さいたま市、川越市、川口市、行田市、所沢市、加須市、東松山市、春日部市、狭山市、羽生市、鴻巣市、上尾市、草加市、越谷市、蕨市、戸田市、入間市、朝霞市、志木市、和光市、新座市、桶川市、久喜市、北本市、八潮市、富士見市、三郷市、蓮田市、坂戸市、幸手市、鶴ヶ島市、日高市、吉川市、ふじみ野市、白岡市、伊奈町、三芳町、毛呂山町、越生町、滑川町、嵐山町、川島町、吉見町、鳩山町、宮代町、杉戸町、松伏町
		一部	熊谷市、飯能市
	千葉県	全域	千葉市、市川市、船橋市、松戸市、野田市、佐倉市、習志野市、柏市、流山市、八千代市、我孫子市、鎌ケ谷市、浦安市、四街道市、印西市、白井市、富里市、酒々井町、栄町
		一部	木更津市、成田市、市原市、君津市、富津市、袖ケ浦市
	神奈川県	全域	横浜市、川崎市、横須賀市、平塚市、鎌倉市、藤沢市、小田原市、茅ヶ崎市、逗子市、三浦市、秦野市、厚木市、大和市、伊勢原市、海老名市、座間市、南足柄市、綾瀬市、葉山町、寒川町、大磯町、二宮町、中井町、大井町、松田町、開成町、愛川町
		一部	相模原市
	茨城県	全域	龍ケ崎市、取手市、牛久市、守谷市、坂東市、つくばみらい市、五霞町、境町、利根町
		一部	常総市
近畿圏	京都府	全域	亀岡市、向日市、八幡市、京田辺市、木津川市、久御山町、井手町、精華町
		一部	京都市、宇治市、城陽市、長岡京市、南丹市、大山崎町
	大阪府	全域	大阪市、堺市、豊中市、吹田市、泉大津市、守口市、富田林市、寝屋川市、松原市、門真市、摂津市、高石市、藤井寺市、大阪狭山市、忠岡町、田尻町
		一部	岸和田市、池田市、高槻市、貝塚市、枚方市、茨木市、八尾市、泉佐野市、河内長野市、大東市、和泉市、箕面市、柏原市、羽曳野市、東大阪市、泉南市、四條畷市、交野市、阪南市、島本町、豊能町、能勢町、熊取町、岬町、太子町、河南町、千早赤阪村
	兵庫県	全域	尼崎市、伊丹市
		一部	神戸市、西宮市、芦屋市、宝塚市、川西市、三田市、猪名川町
	奈良県	全域	大和高田市、安堵町、川西町、三宅町、田原本町、上牧町、王寺町、広陵町、河合町、大淀町
		一部	奈良市、大和郡山市、天理市、橿原市、桜井市、五條市、御所市、生駒市、香芝市、葛城市、宇陀市、平群町、三郷町、斑鳩町、高取町、明日香村、吉野町、下市町
中部圏	愛知県	全域	名古屋市、一宮市、瀬戸市、半田市、春日井市、津島市、碧南市、刈谷市、安城市、西尾市、犬山市、常滑市、江南市、小牧市、稲沢市、東海市、大府市、知多市、知立市、尾張旭市、高浜市、岩倉市、豊明市、日進市、愛西市、清須市、北名古屋市、弥富市、みよし市、あま市、長久手市、東郷町、豊山町、大口町、扶桑町、大治町、蟹江町、阿久比町、東浦町、南知多町、美浜町、武豊町、幸田町、飛島村
		一部	岡崎市、豊田市
	三重県	全域	四日市市、桑名市、木曽岬町、東員町、朝日町、川越町
		一部	いなべ市

第3章　相続税は土地評価次第でビックリするほど安くなる

37

case 1

[地積規模の大きな宅地の評価1]
同じ利用状況の土地を一体の土地として評価

■地積規模の大きな宅地をおさらい

前項で示したとおり、地積規模の大きな宅地の評価とは、**三大都市圏では500㎡以上の地積の宅地、三大都市圏以外の地域では1,000㎡以上の地積の宅地**です。ただし、次の土地は地積規模の大きな宅地に該当しません。

- 市街化調整区域(都市計画法第34条第10号または第11号の規定に基づき宅地分譲に係る同法第4条第12項に規定する開発行為を行うことができる区域を除く)に所在する宅地
- 都市計画法の用途地域が工業専用地域に指定されている地域に所在する宅地
- 指定容積率が400%(東京都の特別区においては300%)以上の地域に所在する宅地
- 財産評価基本通達22-2に定める大規模工場用地

■土地の評価単位について

土地の評価単位は「地目」「取得者」「権利関係」に基づいて判定します。

①地目

相続税法上の地目は下記9つとなります(詳しくは26ページ参照)。
(宅地・田・畑・山林・原野・牧場・池沼・鉱泉地・雑種地)

登記上の筆(土地登記簿における1個の土地を示す単位)が分かれている場合でも、利用の単位となっている1区画の土地ごとに評価するとされています。

また、地目の判定は登記上の地目ではなく、相続開始時点の現況によって行います。

②取得者

その土地を相続により取得した人ごとに評価を行います。
よって同地目であっても取得者が異なる場合は、別評価単位となります。

③権利関係

取得者・地目が同じであっても、その土地にかかる権利関係(自分で使

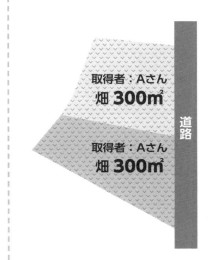

[三大都市圏内の複数の地番の土地を
ひとつにまとめて大きな宅地に]

当初申告：個別評価
⇩
見直し後：一体評価
⇩
規模格差補正率を適用

地積規模の大きな宅地の評価を適用

5,000万円 評価減
⇩
相続税2,500万円の還付

用している土地か、人に貸している土地か等）が異なる場合は別評価単位となります。

■**一体の土地になると500㎡以上となり5,000万円の評価減に**

　上図の事例は当初、隣接する畑を地番ごとにひとつずつ評価していた土地です。ところが、一体で畑として利用されている、いずれの土地も同一人物が相続したなど、他の状況を勘案しても、まとめてひとつの土地として評価すべきものでした。

　実際にひとつにまとめてみると、三大都市圏内で600㎡あり、かつ、前ページに掲載した地積規模の大きな宅地の要件を満たします。

　この土地については不整形等の評価減もあり、5,000万円の評価減となり、2,500万円の還付となりました。

> 隣り合う土地を広大なひとつの宅地として評価すれば、
> 大幅な評価減につながる可能性も！

case 2

[地積規模の大きな宅地の評価2]
倍率地域に所在する広大な土地の評価

■2つの計算式で算出された額の低いほうを選択

倍率地域に所在する広大な土地の場合、次のいずれかで評価することになります。
①倍率方式による評価
②その宅地が標準的な間口距離および奥行距離を有する宅地であるとした場合の1㎡あたりの価額に、普通住宅地区の奥行価格補正率や不整形地補正率などの各種補正率の他、規模格差補正率を乗じて求めた価額に、その宅地の地積を乗じて計算した価額

計算式で示すと、次のようになります。

① その宅地の固定資産税評価額に倍率を乗じて計算した価額

② その宅地が標準的な間口距離・奥行距離を有する宅地であるとした場合の1㎡当たりの価額 × 普通住宅地区の奥行価格補正率 × 普通住宅地区の不整形地補正率などの各種補正率 × 規模格差補正率 × 地積(㎡)

どちらで選ぶかは①と②で計算した額のいずれか低いほうということになります。

■宅地が市街化調整区域内にある場合も、一定の要件を満たせば地積規模の大きな宅地の評価が適用できる可能性がある

市街化調整区域にある宅地は、原則として地積規模の大きな宅地の評価を適用することはできません。ただし、都市計画法第34条第10号または第11号の規定に基づき宅地分譲に係る開発行為ができる区域内にある宅地の場合は、例外として適用することができます。

しかし、適用要件を満たす宅地はなかなか存在しないため、実務経験のない税理士は見落とすことが非常に多いのです。

市街化調整区域内の宅地での地積規模の大きな宅地の評価を検討する場合は、適用要件を注意深く確認することが重要です。

［市街化調整区域内にある広大な土地の評価］

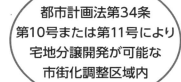

地積規模の大きな宅地の評価を適用することで

1,000万円 評価減
↓
相続税500万円の還付

宅地が市街化調整区域内にある場合も、
「地積規模の大きな宅地」が適用できる可能性がある

case 3

[地積規模の大きな宅地の評価3]
市街地にある隣接する農地や山林を一体の土地として評価

■地目の異なる土地を一団の土地として評価できる場合は?

　市街化区域内において地目の異なる土地を一団の土地として評価できる場合があります。それは、宅地に比準して評価する市街地農地、市街地山林、市街地原野、宅地と状況が類似する雑種地のいずれか2つ以上の地目が隣接している場合で、かつこれらを一団の土地として評価することが合理的と認められる場合です。具体的には右ページ上段の図の例1～例4のような場合に、一団の土地として評価することが合理的と認められます。

　つまり、**相続税評価では、土地は地目ごとに評価するのが原則ですが、一体評価が可能な場合がある**というわけです。

■一団の土地として評価して
「地積規模の大きな宅地」の条件を満たすケース

　右ページ下段の事例は当初、三大都市圏にある市街地農地・雑種地の2つに分けて評価されていました。分けるとそれぞれの土地の地積は500㎡未満で「**地積規模の大きな宅地**」の要件を満たしません。

　そこでその土地を管轄する役所に確認したところ、対象不動産の西側にある通路は建築基準法外道路であることがわかりました。

　よって北側に位置する畑は、接道義務を満たさない土地となります。地目ごとに評価単位を分けると、畑部分は無道路地のため、不合理分割となってしまいます。

　この畑部分の利用について、南側に位置する雑種地を経由して接道が可能であるという理由から、一体評価を行うことが合理的と判断しました。その結果、地積が500㎡以上となったため「地積規模の大きな宅地」の要件を満たし、1,800万円の評価減となり、相続税900万円の還付を受けました。

> 地目が異なる土地でも、
> 一団の土地として評価が可能になる場合がある

［一団の土地として評価が可能な地目の異なる土地の例］

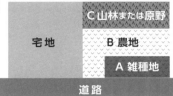

例1

A土地は地積が小さく、形状では、B土地はA土地と併せて評価するのが妥当。C土地は道路に面しておらず、単独で評価するのは妥当ではない。そこで、A、B、Cの土地全体を一団の土地として評価

例2

山林のみで評価すると、形状が間口狭小、奥行長大な土地で、また、山林部分のみを宅地として利用するには、周辺の標準的な宅地と比較した場合、宅地としての効用を十分に果たし得ない

例3

例2と同様に、各地目の地積が小さい

例4

山林部分が道路に面していないので、宅地としての効用を果たすことができない

還付が成功したケース

畑単独では接道義務を満たさず不合理分割
▼
三大都市圏内に存すること・地積規模の大きな宅地の評価要件を満たすこと

一体で評価（地積規模の大きな宅地の評価を適用）

1,800万円 評価減
↓
相続税 900万円 の還付

第3章 相続税は土地評価次第でビックリするほど安くなる

case 4

[個別の事情がある土地1]
土地の相続税評価額より売却価額のほうが安かったら？

■ 売却価額を評価額とすることができることもある

　土地の相続税評価額は、売買取引される価額よりも低くなるのが一般的です。ところが**土地の個別要因や地価下落により、相続税評価額のほうが売却価格を上回ることがあります**。また、相続税評価の基準となる路線価の見直しは年に1度しか行われないため、次の見直しまでの間に地価が大きく下がると相続税評価額と売却価額の逆転現象が起きることもあります。

　価額の逆転現象が起きている場合は、売却価額を相続税評価額とすることで減額できる場合があります。右ページ下段の1,300㎡の広い土地を相続した事例では、相続税評価額が1億8,700万円でした。ところが、相続から4カ月後に第三者に売却しようとしたところ、その一帯の地価の相場が下がったために1億3,700万円でしか買い手がつきませんでした。

　仕方なくその金額で売りましたが、売却価額よりも相続税評価額のほうが高額になり、実情に見合わない相続税が課せられることになったのです。すでに相続税申告をしていたため、還付請求を行ったところ、差額の5,000万円が減額されて相続税2,500万円が還付されました。

　このように売却した価額での申告が認められるには条件が2つあります。ひとつは**相続開始日から土地の売却まであまり時間が経っていないこと**。もうひとつは、「**適正な価額**」**で取引されている**ことです。親族や同族会社に意図的に低い価額で売却した場合は、適正な価額での取引とはみなされず、評価額をもとにした税額を納めなければなりません。

　宅地として相続税申告した土地が、実際は山林としての価値しか認められずに買い叩かれた例もあります。このような逆転現象は、実際に土地を売却してみるまでは、なかなかわからないものです。地価が下がる要因があれば、申告前に不動産鑑定士に実勢価格の鑑定を依頼してみるのもひとつの方法といえるでしょう。

> 相続の発生と売却時期が近く、適正な価額の取引であれば、売却価額で相続税が申告できることもある

[売却価額が相続税評価額を下回るときは……]

① 相続税評価額
② 売却価額

①＞②の場合、売却価額を評価額とすることができる可能性がある

〈条件〉
● 相続の発生と売却時期が近いこと（目安：10カ月）
● 適正な価額で取引されていること

還付が成功したケース

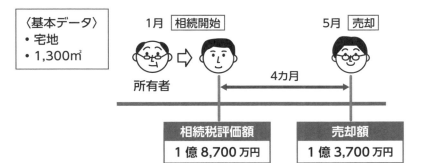

〈基本データ〉
・宅地
・1,300㎡

1月 相続開始　　　5月 売却
所有者　　　4カ月

相続税評価額　1億8,700万円
売却額　1億3,700万円

① 初めの申告での評価額 …………… 1億8,700万円
② 見直した後の評価額 ……………… 1億3,700万円
①－②（減少額）……………………… 5,000万円

還付額 2,500万円

case 5

[個別の事情がある土地2]
形のいびつな土地、間口の狭い土地は評価減できる可能性大

■土地の形状で評価減

　土地はその形状によって、使いやすくも使いにくくもなります。きれいな四角い土地に比べて、斜めに切り取られていたり、一部分が出っ張っていたり引っ込んだりしている"形がいびつな土地"は、使いにくく利用価値が低いので、相続税評価額を減額できます。

　こうした、形がいびつな土地を**不整形地**といいます。不整形地の評価は4つあり有利なものを選択しますが、ここでは、よく使う方法をひとつ紹介します。右ページ上図を見てください。まず土地の前面道路に対して平行な長方形または正方形で、土地がすっぽり入る想定図を描きます。

　次に、想定図の中にある対象地以外の部分（かげ地といいます）の面積を出し、想定図の中のかげ地の割合を計算します。

　土地の広さや所在地区にもよりますが、かげ地の割合が10％を超えると不整形地の評価減が認められる可能性が高くなります。評価はかげ地の割合が多いほど低くなり、最大で40％の大幅な評価減が認められることもあります。

■著しく間口の狭い土地、奥行のある土地も同様

　土地の形や道路付けによって評価が下がることに気づかずに申告してしまうケースも少なくありません。**著しく間口の狭い土地や奥行のある土地**の場合もそれに当たります。土地が道路に接している部分を間口といいますが、この間口が狭いと土地が使いにくいため、相続税評価額が下がります。これに加えて、間口に対する奥行の割合が大きい土地（細長い土地）は、建物が建てにくいことから、さらに評価額が下がります。

　「**間口狭小**」の減額が認められるのは、地区区分が普通住宅地区の場合、間口が8m未満の場合です。そのうえ、奥行が間口の2倍以上だと「**奥行長大**」の減額の対象にもなるので、見逃さないよう注意が必要です。

> 形がいびつな土地や間口が狭い土地は要注意！

[不整形地の判定方法]

①想定図を描く
対象地の前面道路に対して平行な長方形を描く

②かげ地の算出
想定図の範囲内で対象地を除いた部分（かげ地）を算出

③計算
対象地の面積に対しかげ地の割合が10%を超えると、評価減が認められることが多い

一例：不整形地には4つの評価方法があり土地の形状に応じて有利な方法を選択する

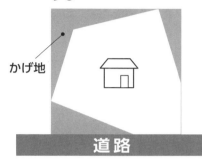

還付が成功したケース

〈基本データ〉
- 畑
- 1,230㎡

かげ地割合が 65%超

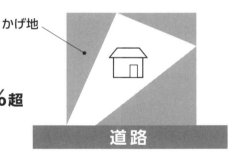

①初めの申告での評価額	8,000万円
②見直した後の評価額	5,000万円
①－②（減少額）	3,000万円

※他の評価減も含む

還付額 1,500万円

第3章 相続税は土地評価次第でビックリするほど安くなる

case 6

[個別の事情がある土地3]
複数の道路に接している土地は相続税評価を再確認

■側方や裏面の道路に接する間口が狭い土地の評価

　複数の道路に面した土地は、出入りがしやすく、日当たりや風通しがよいなどの理由から、1本の道路だけに面した土地よりも相続税評価額は高くなります。複数の道路に面した土地では、原則的に路線価の高い道路が**正面路線**になり、評価額を算出する際は、正面路線価に側方道路や裏面道路（右ページ上段の図参照）による評価分を加算します。＜例3＞のような角地であれば、側方道路の路線価に奥行価格補正率を乗じた金額に3％の補正率（普通住宅地区の場合）を乗じたものを加算します。

　また、住宅が立ち並ぶ地域よりも商業地域のほうが、複数の道路に面することにより得られる利点が大きいため、加算する割合も高くなります。

　ここで注意が必要なのは、側面や裏面の道路に接する間口が狭い土地の場合です。側方路線価や裏面路線価は、土地が道路に接している分についてだけ評価を加算することになっていますが、このことを見落として申告しているケースがよくあるのです。

　右ページ下段の還付成功例は、まさにその事例です。土地の奥行は30mありますが、側方道路に面しているのはそのうち10mだけでした。この場合、側方道路の評価分は10m分のみ加算すればよいので、算式のとおり、側方道路の路線価に3％の補正率を乗じた後、さらに「10m／30m」を乗じて計算する必要があります。しかし、初めの申告では間口が狭いことを考慮せずに側方道路による評価分を3％のまま30m分すべて加算していたため、適正な評価額よりも高い評価になっていました。他にも不整形地補正の減額等が認められ、相続税評価額が1,670万円ほど下がり相続税830万円が戻ってきました。不整形地は整形地よりも利用価値が低く、大幅な減額が認められる可能性があります。

> 側方や裏面の道路に接している部分が一部なら評価の見直しを！

[道路が土地の一部にしか接していないケースの例]

〈例1〉

〈例2〉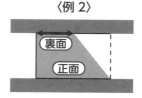

〈例3〉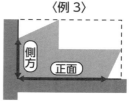

側方、裏面の道路に接する間口部分のみを評価に加算する

- 複数の路線に接するときは間口を確認
- いびつな形の土地(不整形地)は注意!

還付が成功したケース

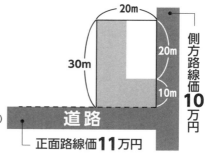

〈基本データ〉
- 駐車場
- 400㎡

当初
側方路線価 10万円 × 0.03
（側方経路路線加算率）

見直し後
側方路線価 10万円 × 0.03 × $\frac{10m}{30m}$

① 初めの申告での評価額 ……………… 4,250万円
② 見直した後の評価額 ……………… 2,580万円
① − ②（減少額）……………… 1,670万円

※他の評価減も含む

還付額 830万円

第3章 相続税は土地評価次第でビックリするほど安くなる

case 7

[個別の事情がある土地 4]
道路に接していない市街地の「無道路地」の評価

■道路に接していても無道路地となる場合がある

　無道路地とは接道義務を満たさない土地のことを指します。具体的には、道路に接していない、もしくは建築基準法上の道路ではない道に接している土地です。土地が道路に接していないと、家屋の新築や建て替えをしようとする際に建築制限がかかります。そのため、土地の売却に際しても、同じ条件で道路に接した土地と比べると高く売ることができません。

　そのような、道路に接していない土地は**無道路地**として相続税評価をするときに**道路開設費用を差し引くことなどが認められています**。

　右ページ下段の事例では、評価対象地は道路に出るには他人の土地を通る必要がありますが、初めの申告では無道路地の評価がされていませんでした。しかし実際に確認してみると、道路には接していない土地であるため、無道路地として評価を改め、還付請求を行いました。

　その結果、他にも奥行価格補正や不整形地補正の減額もあったため、1,800万円だった評価額が950万円に減額され、420万円が還付されました。

　建築基準法上の道路にまったく接していない土地が無道路地であることは、誰でもわかります。しかし、道路に接してはいても無道路地とされる場合があり（右ページ上段の図②、③参照）、これを見逃して高い相続税を払うことになってしまうケースがあります。

　建築基準法には、「建設物の敷地は、建築基準法上の道路に2m以上接していなければならない」という接道義務があります。この規定は、都市計画区域と準都市計画区域内に適用されます。

　また幅2m以上の道路に接しているように見えても、その道路が役所による判定で「建築基準法上の道路と認めない」とされているケースもあります。このような土地も、やはり無道路地とするのが正しい評価となる場合があります。また、接道距離の規定は市町村によって異なることもあるため、役所への確認も必要です。

> 接道義務を満たさない「無道路地」を見逃さないように！

["接道義務を満たしていない土地" とは？]

①道路にまったく接していない土地

建築基準法上の道路

②建築基準法上の道路ではない道に接している土地

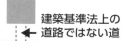

← 建築基準法上の道路ではない道

建築基準法上の道路

③道路に接している部分が 2m 未満の土地

1m

建築基準法上の道路

建築基準法上の道路

1.5m

還付が成功したケース

〈基本データ〉
・畑
・500㎡

畑

他人の土地を通行し出入りしていた

建築基準法上の道路

① 初めの申告での評価額 ……………… **1,800**万円
② 見直した後の評価額 ………………… **950**万円
① －②（減少額）……………………… **850**万円

※他の評価減も含む

還付額 420万円

case 8

[個別の事情がある土地 5]
敷地の中に斜面があると「がけ地」の評価減の対象に

■がけ地が10％以上あると評価が下がる

　路線価地域に所在する宅地で、急な勾配のある土地を削って、複数の住宅が段違いに建てられている光景をみかけます。こうした宅地の中には、「通常の用途に供することができない」斜面があることも多いです。

　このような、宅地の中の斜面をがけ地と呼びます。がけ地の部分には建物を建てられないので、がけ地を含む宅地は相続税評価額が下がります。

　評価減となるのは、総面積のうち建物が建てられない、がけ地が10％以上ある場合です。評価が下がる割合は、斜面のある方角によっても異なり、**減額率が最大になるのは北向きの傾斜**です。宅地内にがけ地があるかどうかは、がけであることを示す記号（斜線）や等高線が入っている地図からも確認ができます。相続を受けた本人は、多くの場合、土地ががけ地であることについては知っているでしょう。しかし、それが**相続税の減額につながるという知識まで持っている方は多くない**と思われます。

■がけ地は現地で確認することが大切

　当社が手がけた事例で、実際に現地に行ってみた結果、西側の道路との間に高低差4ｍのがけ地があることがわかった宅地がありました。そこで西向きのがけ地がある宅地として相続税評価額を見直したところ、他の評価減も合わせて約1,000万円の評価減となり、500万円が戻ってきました。

　地図を見てもよくわからない場合は、Googleストリートビューや国土地理院が公開する情報で確かめてみるのも1つの方法ですが、土地をすべて確認することはむずかしいため、現地に行って確認するのが、いちばん確かな方法です。

　なお、都市部にある平坦な宅地に傾斜のある山林などが隣接している場合は、宅地は評価減とはならず、山林についてのみ「傾斜地（case24）」という別の評価方法で減額することになります。

> 総面積の10％以上が「がけ地」なら、評価減が認められる

[宅地の中にある「がけ地」]

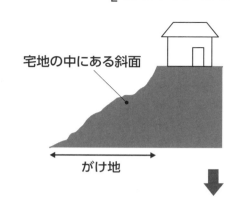

（注）がけ地の部分が、山林や月極駐車場で、平坦な自宅敷地と区別されている場合、がけ地評価はできない

がけ地の部分が **宅地総面積の10％以上であれば評価減**

還付が成功したケース

〈基本データ〉
・宅地
・200㎡

①初めの申告での評価額	3,000万円
②見直した後の評価額	2,000万円
①－②（減少額）	1,000万円

※他の評価減を含む

還付額 **500万円**

case 9

[個別の事情がある土地6]
登記簿の面積よりも実物が小さい土地に注意

■**山林の評価では大幅な減額になることもある**

　不動産の登記簿（登記事項証明書）は法務局で閲覧できる文書です。登記簿で土地の面積を調べることができますが、実はそこに記載された内容が常に信用できるとは限りません。

　明治時代の初期は、まだ測量技術が未熟でした。この時代に調査された土地の登記簿は、不正確な面積が記載されてそのまま残っていることがあるようです。

　登記簿に2,500㎡と記されていた山林を売却しようとして測量したところ、80㎡しかないことがわかったという極端な事例もあります。還付請求を行ったところ、700万円の相続税評価額が30万円という大幅な減額になり、還付金として330万円が戻ってきました（右ページ下段のケース）。

　このように、実際の土地の面積が登記簿よりも小さいことを**縄縮み**といいます。縄縮みがよく見つかるのは、**それまで持っていた土地を売却するために測量をし直したとき**です。

　相続の発生から3年10カ月以内に土地や建物等を売却すると、譲渡によって得られた利益にかかる所得税が軽減できる特例があります。相続税を納めるために土地等を売却した場合、さらに所得税までかかってしまうので、二重課税を防ぐための特例です。

　土地の売却は相続後に行うことが多いのですが、相続税申告時には縄縮みに気づかず、売却時になって初めて気づくこともあります。

　相続税申告後に縄縮みがわかれば、当然ながら、実際の土地の面積が小さかった分、相続税評価額も低くなります。ですから相続税還付の手続きを行えば納めすぎた相続税が戻ってきます。右ページ上段のチェック項目に該当する土地を持っていたら、縄縮みがないかどうか確認するとよいでしょう。

> 長年測量をしていない土地を相続したときは面積に注意！

[登記されている面積が正確とは限らない]

登記簿に記載された土地の面積よりも、実際の土地の面積が小さいことを**縄縮み**という

「縄縮み」チェックリスト

☐ 登記簿の面積よりも小さく感じる

☐ 測量を行っていない土地がある

還付が成功したケース

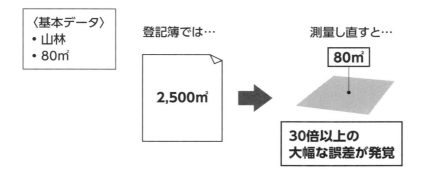

〈基本データ〉
・山林
・80㎡

登記簿では… 2,500㎡

測量し直すと… 80㎡

30倍以上の大幅な誤差が発覚

① 初めの申告での評価額 ……………… **700**万円
② 見直した後の評価額 ………………… **30**万円
①-②(減少額) ……………………… **670**万円

還付額 **330**万円

第3章 相続税は土地評価次第でビックリするほど安くなる

case 10

[個別の事情がある土地7]
幅が狭い道路に接している土地の評価

■**セットバックを正しく評価し、還付を受ける**

　相続した土地が幅員4m未満の狭い道路に接している場合は、相続税評価額が減額できる可能性があります。なぜなら、道路の幅を広げるために、将来的に土地を後退させなければならず、その部分は道路として提供する必要が生ずる可能性があるからです。

　基本的に道路は建築基準法上の道路とそうでないものの2種類に分けられます。建築基準法上の道路は基本的に幅が4m以上です。ただ、例外的にそれより幅が狭い道路があります。それは、建築基準法第42条2項に基づく道路（**2項道路**）です。これは建築基準法施行前から道路として利用されていたもので、この道を建築基準法の道路でないとみなすと、そこに昔から建っている建物は違法建築となることから、建築基準法上の道として認められています。

　ただし、2項道路に接している土地は、建物を新築したり建て替えたりするときに少なくとも4mの幅に道路を広げることが義務づけられています。その分、敷地を後退させなければなりません。これをセットバックといい、後退する部分の土地に建物を建てることができません。2項道路の両側の土地がいずれもセットバックできれば、**道路の中心から2mの地点**まで敷地を後退します（右ページ上段の図①）。反対側が川やがけなどで後退できないときは、**道路の幅が4mになるところまで後退します**（同②）。

　右ページ下段の図は、土地の中でセットバックが必要な部分について評価を見直し、還付に成功した事例です。初めの申告ではセットバックの必要があることを見逃していました。しかし、道路の幅が狭かったので役所で確認したところ、2項道路であることがわかったのです。さらに、角地でもあったため、敷地を削り通行しやすくするための「すみ切り」も必要でした。そのすみ切り分の面積も計算して還付請求をした結果、他の評価減も合わせて700万円の減額に成功し、350万円が戻ってきました。

> 目の前が幅の狭い道路なら、
> 将来的に道路提供が必要な可能性が大！

［セットバックによる評価減］

〈セットバックの例〉

①両方とも後退できる場合　　②一方しか後退できない場合

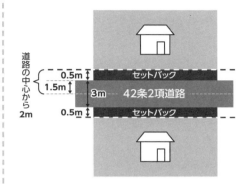

還付が成功したケース

〈基本データ〉
- 宅地
- 90㎡

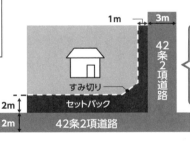

セットバック、すみ切りが必要なことを考慮していなかった

①初めの申告での評価額	4,000万円
②見直した後の評価額	3,300万円
①－②（減少額）	700万円

還付額 350万円

※他の評価減も含む

case 11

[個別の事情がある土地 8]
庭内神し（社や祠）は非課税になる

■信仰の対象になっているかなど、さまざまな要素を考慮する必要がある

　個人の家の敷地内に**社、祠、鳥居**があることがあります。こうした構造物が**庭内神し**として認められると、その部分の土地には相続税が課されません。ところが、一般的には申告時に見落としがちです。

　右ページ下段の事例では、自宅敷地内の20㎡の土地に、お稲荷様を祀った社が建てられていました。

　初めの申告では、この土地を通常の宅地と同様に評価していましたが、先祖代々受け継いだ社で、家族や近隣の人たちは日常的にお参りし、定期的に手入れも施していました。このような状況から庭内神しと認められると判断し、還付請求をしました。その結果、この20㎡の土地は相続税が非課税となり、150万円が還付されました。

　ただし、鳥居や祠があれば無条件で非課税になるというわけではありません。

　庭内神しとなるのは、不動尊や地蔵尊、道祖神、庚申塔、稲荷などのご神体が祀られていて、その敷地に住んでいる人や地域住民の信仰の対象になっている場合です。昔からその場所に存在していても、特に手入れされずに放置されているような社や祠は、信仰の対象になっていないと判断され、庭内神しとしては認められません。

　また、外形的な特徴だけでなく、建てたときの目的や経緯、相続当時に日常的に礼拝されていたかという点も考慮されます。

　このように、さまざまな要素を総合的に判断したうえで、庭内神し及びその付属施設と認められた場合に、その部分の土地は非課税になるのです。

> 「庭内神し」と認められれば、その土地の相続税は非課税になる

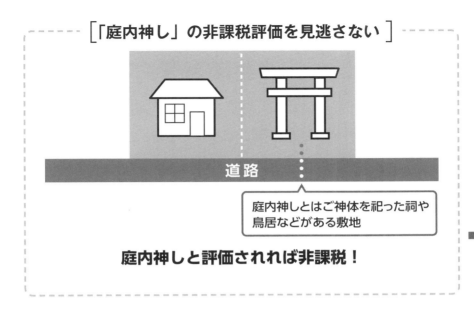

[「庭内神し」の非課税評価を見逃さない]

庭内神しとはご神体を祀った祠や鳥居などがある敷地

庭内神しと評価されれば非課税！

還付が成功したケース

〈基本データ〉
- 宅地
  （庭内神し敷地部分）
- 20㎡

庭内神しの敷地20㎡を非課税として再評価

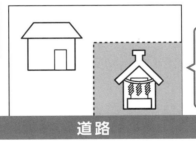

①初めの申告での評価額	300万円
②見直した後の評価額	0円
①－②（減少額）	300万円

還付額 150万円

case 12

[個別の事情がある土地 9]
道路との間に水路がある宅地の評価

■河川や水路の幅が広い場合は、橋の架設費用相当額も控除できる可能性がある

宅地と道路との間に河川や水路がある場合は、宅地の相続税評価額が減額できる可能性があります。

ただ、水路などに蓋をすれば通れる場合は、道路からの奥行距離に応じた評価減はあるとしても、あまり大きな減額は期待できません。一方で、**橋を新たに架けなければ通行できない河川や水路の幅が広い場合は、無道路地として評価したうえで、橋の架設費用相当額も控除でき大きく減額できる可能性があります。**

なお橋が架けられないほど河川や水路が広いとき、または橋を架ける許可が下りないときは、別の道路の路線価をもとに評価します。例えば右ページ上段の図②のように、側方路線との間に水路がある場合、正面路線から出入りできるために多くの場合は橋の架設許可が下りません。こうした土地は、角地であっても側方路線が使えないので、正面路線の路線価のみで評価すればよく、側方路線分の加算をする必要はありません。

■間口狭小、奥行長大の評価減を行った事例

宅地の正面の道路との間に水路があり、その幅は 2 mだった事例です。道路に出るために橋が架かっていたのですが、初めての相続税申告では道路と宅地が普通に接している土地と同じ評価をしていました。

しかし、橋の開口部がそのまま土地の間口となるため、**実質的には間口が狭い土地**になります。さらに、橋自体は土地の面積には含まれず、道路からの奥行については水路（＝橋）の幅も入れた長さとすることができます。

こうした評価減により還付請求した結果、他の評価減もあり相続税評価額が 800 万円減額され、400 万円が戻ってきました。この事例では、橋がないと通行できない幅の水路であったことが、減額につながりました。

> 水路は、その幅や道路との位置関係によって
> 減額要因になる可能性がある

［「道路との間に水路がある場合」の評価減］

①正面路線との間に水路がある

ポイントは水路によって道路の利用がどれくらい阻害されているか

②側方路線との間に水路がある

橋の架設許可が下りない場合、側方路線の加算を行わない

還付が成功したケース

〈基本データ〉
- 宅地
- 300㎡

①初めの申告での評価額	**3,600**万円
②見直した後の評価額	**2,800**万円
①－②（減少額）	**800**万円

※他の評価減も含む

還付額 **400**万円

COLUMN

埋蔵文化財包蔵地は評価減が認められる？

**埋蔵文化財包蔵地は、
発掘費用の8割の控除が可能**

　地中に埋蔵文化財があった場合、その土地の評価減はどうなるのでしょうか。

　国や市が、土器や石器といった**埋蔵文化財**の包蔵地に指定した地域では、これらの土器や石器が出土する可能性があります。埋蔵文化財包蔵地に指定されている場所は日本全国に分布し、自治体が公表している「埋蔵文化財包蔵地図」で確認できます。

　埋蔵文化財包蔵地で土地開発を行う際には、地中の調査が必要となることがほとんどであり、その際かなりの費用が発生します。埋蔵文化財包蔵地の評価方法は、財産評価基本通達に定められていませんが、国税庁の「土壌汚染地の評価等の考え方について（情報）」では、土壌汚染地の相続税評価額の計算方法について記載しており、埋蔵文化財包蔵地は土壌汚染地の相続税評価額の計算方法に準じて評価額を算出します。

　右の事例のように、実際にはまだ調査していなくても、調査が必要であることを役所に確認し、事前に見積もった調査費用をもとに還付請求をした結果、還付が成功したパターンもあります。

　当初は土地を一般的な「畑」として評価して申告しました。ところが、隣の土地から文化財が出土したので、調べてみると埋蔵文化財包蔵地であることがわかったのです。

　必要な発掘費用を見積もると約2,000万円だったため、還付請求を行いました。発掘費用の8割にあたる1,600万円が評価額から減額されました。

　今は自宅用の敷地でも、将来土地を売却して引っ越すことになるかもしれません。「土地に問題があった場合は売主が必要な費用を負担する」と売買契約書に記す場合が多いので、埋蔵文化財包蔵地であればその点を主張すると税務署も減額を認める可能性が高いと考えられます。

**土壌汚染地や産業廃棄物が
埋まっていた場合は？**

　また、土地を売却した後、土壌汚染や産業廃棄物の埋設が発覚することがあります。

別の事例では、相続後に売却した土地を業者が宅地開発したところ、実際にコンクリートの塊やレンガなどが多数地中に埋まっていました。土地に隠れた瑕疵（欠陥や問題など）があれば、売主が責任を負うという条件だったため、実際に支払った撤去費用の8割を評価から控除することができ、相続税が還付されました。

［埋蔵文化財包蔵地とは？］

各自治体が公表する「埋蔵文化財包蔵地図」を見るか、役所への問い合わせで知ることができる

土器、石器など文化財が、地中に埋もれている土地のこと

埋蔵文化財包蔵地の場合は……

発掘調査にかかる費用の8割を土地評価から控除できる可能性がある

還付が成功したケース

〈基本データ〉
- 畑
- 200㎡

普通の土地だと思っていたが…… ➡ 実は**埋蔵文化財包蔵地**だった！

①初めの申告での評価額 ……………… **7,900**万円
②見直した後の評価額 ……………… **6,300**万円
①－②（減少額） ……………………… **1,600**万円

還付額
800万円

case 13

[個別の事情がある土地10]
赤道・青道が敷地内にある土地の評価

■法定外公共物の「赤道」「青道」とは？

　地主が所有している土地の中に、「法定外公共物」と呼ばれる国有地が含まれているケースがあります。具体的には「赤道」と呼ばれる獣道・農道等の敷地と「青道」と呼ばれる昔からの河川・用水路等の敷地を指します。そのような場合は役所に確認することで、法定外公共物かどうかが判別できます。法定外公共物を含む土地の評価は2通り考えられます。ひとつは法定外公共物を含めて一体で評価し、法定外公共物の払い下げ価額を控除する方法です。赤道・青道が公共の道路や水路として機能しておらず、払い下げを受けることが問題ない場合などに使われます。どの評価方法が適当かは、形状や専有の状況等を総合的に勘案して判断します。

■土地を分断するように法定外公共物が横切っている土地

　もうひとつの評価方法を、右ページ下段の事例で紹介します。北側と南側の2つの道路に面する土地を、駐車場として使用していました。その土地を南北に分断する形で、法定外公共物である赤道が介在し、全体の530㎡のうち40㎡を占めていました。土地を分断するように法定外公共物が横切っていましたが、分断された土地ごとに評価しても不合理分割とならないため、法定外公共物を除いてからさらに2つの評価単位に分けて計算しました。

　初めの相続税申告では、単純に**二路線に面する一続きの土地として赤道も含めた評価**をしていました。確かに、一見、土地全体が相続財産のように見えますが、赤道は国有地であるため、相続財産には含まれません。

　赤道を除外したところ、北側の土地と南側の土地は隣り合わないので、個別の評価単位として改めて還付請求をしました。その結果、それぞれの評価単位について奥行価格補正や不整形地補正等（case 5）が利用できるようになり、見直し後は2,000万円の大幅な減額となりました。

> いわゆる「赤道」「青道」があったら、評価方法は慎重に判断を

［法定外公共物を含む土地の見分け方］

- 青道（昔の河川等の敷地）、赤道（昔の獣道や農道等の敷地）と呼ばれる国有地（通称：法定外公共物）を土地の中に含んでいる場合がある
- 法定外公共物には地番が付されていない場合が多いため、公図を確認すれば判別できる

※払い下げ（国からの買取り）価額がわかっている場合には、一体で評価した後、払い下げ価額の80％控除

還付が成功したケース

北側と南側の二線路に面する駐車場の場合

〈基本データ〉　①駐車場　②530㎡（うち赤道40㎡）

〈初めの申告〉

路線価：10万円
路線価：12万円

土地を南北に分断するように赤道が40㎡ほど介在していたが、初めの申告では二線路に面する、一続きの土地として赤道も含めて評価していた

〈見直し後〉

路線価：10万円
路線価：12万円

評価単位を2単位に分けて見直したところ、減額に成功した

①初めの申告での評価額	5,100万円
②見直した後の評価額	3,100万円
①－②（減少額）	2,000万円

※評価単位を改め、奥行価格補正、不整形地補正等を含む

還付額 1,000万円

第3章　相続税は土地評価次第でビックリするほど安くなる

case 14

[周囲の環境によって評価減が認められる土地1]
墓地や葬儀場近くの土地の評価（10％減）

■**もともと忌み地による減価が織り込まれていることがある**

　住環境がよくないとして一般的には好まれない土地があります。例えば、近くに墓地や葬儀場がある土地です。

　このような、あまり人が住みたがらない土地は、「利用価値が著しく低下している土地」として**相続税評価額の10％減額が認められる**ことがあります。

　当社でも、道路を隔てた向かい側に墓地がある土地を扱ったことがありました。

　この土地を譲り受けた相続人は、相続税申告時において、この目の前の墓地の存在をそれほど気にしてはいませんでした。ところが、土地と墓地を隔てているのは約3.5m幅の道路だけです。これではすぐ隣に墓地があるのとほとんど変わりません。

　そのため、人に敬遠される土地、いわゆる**忌み地**であると主張して還付請求をしたところ、10％の評価減が認められ、相続税評価額は約500万円の減額になりました。

　ただ、忌み地の減額を考える場合、ひとつ気をつけなければならないことがあります。それは、もともと墓地や寺院が多い地域では、相続税評価額の算出根拠となる路線価に、忌み地であることによる減価が織り込まれていることがあるということです。その場合は隣に墓地があっても10％の評価減にはなりません。

　この事例では、墓地に面しているのがその土地だけでした。そのため、一帯の路線価には忌み地としての減価が織り込まれていないとして、評価を下げることができました。

墓地や葬儀場近くの土地は、評価額が下げられる可能性がある

[「忌み地」とは?]

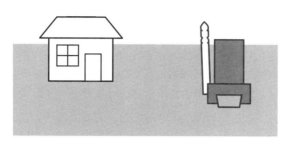

墓地や葬儀場近くの土地は、付近の他の土地に比べて利用価値が低い

還付が成功したケース

〈基本データ〉
・駐車場
・1,200㎡

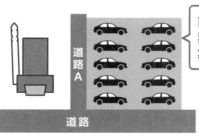

前面の道路Aが狭く、駐車場から墓地がよく見える

① 初めの申告での評価額 ……………… 5,000万円
② 見直した後の評価額 ………………… 4,500万円
①-②（減少額）………………………… 500万円

還付額 250万円

case 15

[周囲の環境によって評価減が認められる土地2]
線路や踏切の近くで騒音に悩まされる土地の評価（10％減）

■基準値は地域や環境によって異なるため、騒音レベルを実測

　住宅街にある土地は、**騒音**などを理由に減額が認められる場合があります。騒音については、環境省や市区町村が定めた基準をもとに判定することになっています（右ページ上段の図参照）。

　右ページ下段で紹介したのは、騒音が発生していると認められたケースです。対象となった宅地の近くには、電車の線路が通っていました。線路は住宅街にきわめて近く、電車の走行音が日常的に聞こえてきます。加えて、この宅地は踏切に隣接し、鳴り響く警報機の音にも悩まされていました。

　注目したいのは、対象の宅地に接している道路が、線路とはほぼ垂直に交わっている点です。この場合、道路の路線価は同じであっても、**線路に近い土地ほど騒音が大きくなるという事情を考慮するべき**といえます。

　また、近隣の宅地の中でも、この宅地だけが踏切に隣接していて、特に著しい騒音があると考えられます。実際に騒音のレベルを計測したところ、75.5デシベルという高い数値でした。

　騒音の基準値は地域や環境によって異なります。この宅地がある「住居専用／主に住居が建つ地域」の基準値は、昼間は55デシベル以下、夜間は45デシベル以下でした。75.5デシベルはこれをはるかに上回る数値であるため、還付請求で10％の減額が認められました。

　結果的に1,320万円の評価減に成功し、660万円が戻ってきました。

　なお、騒音の発生源としては、鉄道路線や踏切の他に、飛行場の近くや高速道路の高架下、交通量の多い道路の交差点などが挙げられます。

　ただし、いずれも騒音による減額が路線価に反映されている場合は、10％の評価減はできません。同じ路線価を使用する他の土地に比べ、評価対象地だけが特に利用価値の低下が著しい場合のみ、減額が認められます。

> 環境省や市町村の基準を超える騒音が確認できれば、
> 10％の評価減にできる可能性がある

［日常生活に影響がある場合］

線路や踏切の近く

交通量の多い交差点

騒音の環境基準▶

地域の環境	基準値	
	昼間	夜間
福祉施設などがあり、静けさが求められる地域	50デシベル以下	40デシベル以下
住居専用／主に住居が建つ地域	55デシベル以下	45デシベル以下
住居と商・工業施設が混在する地域	60デシベル以下	50デシベル以下

※参考：環境省HPより

還付が成功したケース

〈基本データ〉
- 宅地
- 660㎡

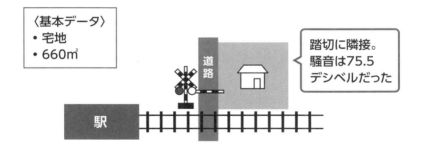

踏切に隣接。騒音は75.5デシベルだった

①初めの申告での評価額 ……………… **1億3,200万円**
②見直した後の評価額 ……………… **1億1,880万円**
①－②（減少額）……………………………… **1,320万円**

還付額 660万円

case 16

[周囲の環境によって評価減が認められる土地3]
道路との間に高低差のある土地の評価（10％減）

■利用価値の低下が路線価や倍率に反映されている場合もある

　住宅地で、右ページ上段の図のように道路よりも高い位置にある土地に家が建っていることがあります。

　このように**道路との高低差が著しい宅地**は、車が入れない、階段を使って出入りしなければならないといった「著しい利用価値の低下」があるという理由で、**相続税評価額の10％減が可能**な場合があります。

　右ページ下段の事例は、道路よりも1.6m高いところにある宅地で、道路から階段を使って家に出入りしていました。周りにある家はほぼ道路と同じ高さなのですが、この1軒だけは道路との間に段差がありました。

　初めの申告では、路線価に基づく評価だけをしていました。しかし、周囲の宅地と同じ評価では不公平だとして還付請求を行った結果、10％の評価減が認められました。

　初めの申告では8,000万円の評価額でしたが、結果として、800万円の減額となり、400万円が戻ってきました。なお、道路から低くくぼんでいる宅地も、同じように「利用価値が低下」するとして評価が下がります。

　ただし、いずれの場合も、「○m以上の高低差なら認められる」といった明確な基準は定められていません。ですが、目安としては1m以上の高低差がある場合、評価減が認められる場合が多いです。

　気をつけなければならないのは、道路との間に高低差のある家が周囲に何軒もある地域だと、利用価値の低下が路線価に反映されている場合があることです。

　他に「著しい利用価値の低下」によって評価減が認められるケースとしては、前述の墓地や葬儀場に隣接している土地（case14）や、騒音に悩まされる場合（case15）などがあります。

> 道路との高低差があれば、利用に制限がかかる不便さを考慮する

[「高低差」の著しい土地は活用しづらい]

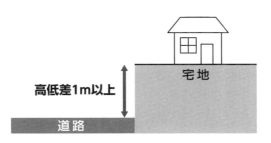

利便性が低いため、**10%の評価減が可能**

※所在場所や周辺状況によって適用可否が異なります。

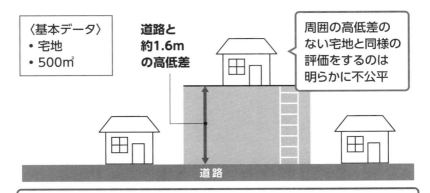

①初めの申告での評価額	8,000万円
②見直した後の評価額	7,200万円
①－②（減少額）	800万円

還付額 **400万円**

case 17

[都市計画による評価減が認められる土地1]
異なる容積率が指定された地域にまたがる土地の評価

■異なる容積率に応じて評価し直す

　ここからは土地の相続税評価額が都市計画によって左右される事例をいくつか紹介します。最初は、土地に指定された**容積率**に着目して評価減に成功した事例です。

　ちなみに容積率とは、その土地に建築する建物の延床面積（各階床面積の合計）をどこまで認めるかを示す数値で、都市計画によって地域ごとに決められています。例えば、100㎡の土地で容積率80％の場合、延床面積は80㎡まで、容積率200％の場合は200㎡まで建築可能となります。

　容積率が高い地域にある道路は、その利便性の高さを加味して高い路線価が付されているのが一般的です。

　右ページ下段の事例の対象地は大きな道路に面していましたが、初めの申告では、接している道路の路線価に基づいて評価しただけでした。ところが調べてみると、その土地は容積率が200％の地域と80％の地域にまたがっていることがわかりました。

　初めの申告では、3,300㎡の土地をすべて容積率200％の地域であるものとして評価したために、実態よりも高い相続税評価額となっていました。容積率が80％の部分を含むことを加味して評価を見直すと、当初の3億1,600万円の評価額が2億9,800万円に下がりました。この1,800万円の評価減によって900万円が還付されました。

　このように、同じ土地の中で異なる容積率にまたがっていることに目を向けないと、適正な評価ができないので注意が必要です。

　幹線道路に面している土地や付近に高いビルが建っているような地域は路線価だけで判断せずに、役所で容積率を調べてみるとよいでしょう。

幹線道路沿いや高いビルのそばの土地は、容積率に要注意！

［容積率のポイント］

- 敷地に対してどれくらいの規模（延床面積）の建物が建てられるかという割合を**容積率**という
- 容積率が大きくなるほど建築できる延床面積の上限も高くなる
  ➡ **土地の価値も高くなる**
- 1つの土地の中で容積率の低い部分があるとき、この点を考慮しないと、**高く評価しすぎてしまう**

特に……➡ **大きな道路の付近は容積率が異なる場合が多い**

第3章 相続税は土地評価次第でビックリするほど安くなる

還付が成功したケース

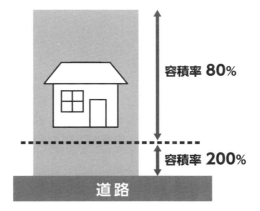

〈基本データ〉
- 宅地
- 3,300㎡

容積率 80%
容積率 200%
道路

①初めの申告での評価額	3億1,600万円
②見直した後の評価額	2億9,800万円
①－②（減少額）	1,800万円

※他に都市計画道路予定地、不整形地等の評価を含む

還付額 900万円

case 18

[都市計画による評価減が認められる土地2]
都市計画道路の予定地の評価

■敷地の全部が都市計画道路予定地にかかる事例

　都市計画法に基づいて、街づくりの基盤となる都市計画道路が新設されることがあります。この都市計画道路の予定地になっていると、さまざまな制約を受けます。

　まず、**その土地に建てられる建物の種類が制限されます**。道路を敷設する際にすぐに移転できるように「木造で2階建てまで」など簡単な構造物しか認められず、建築時に許可が必要となるのです。

　しかも、予算がついてから道路用地として買収されるまでには長い時間がかかり、その間ずっと制限を受けた状態が続きます。もちろん、やがては道路となるため、地主は最終的にその土地を使えなくなります。それでも道路の敷設で影響を受けるのが敷地の一部だけならまだいいのですが、建物部分にまでかかるとなると、立ち退きも検討しなければなりません。

　こうした理由から、都市計画道路予定地にかかる土地を相続した場合は、土地の評価額が下げられることを見落とさないよう、注意が必要です。

　都市計画道路の予定地や道路幅は、自治体がホームページなどに公開している**都市計画図**で確認できます。さらに土地の**地区区分や予定地が占める面積の割合**によって、**減額割合が決まります**。相続税専門の税理士であれば、都市計画道路やcase17の容積率による減額措置を見落とすことは滅多にありません。

　ところが右ページ下段の事例では、初めの申告を行ったのが相続税専門の税理士でなかったため、評価減を考慮せずに申告していました。しかも、駐車場の敷地の全部が都市計画道路予定地にかかっていました。

　還付請求をした結果、初めの申告の評価額7,000万円から1,400万円の減額となり、700万円が還付されました。

都市計画道路の予定地に該当するかの確認を忘れずに！

[都市計画道路予定地の評価減]

都市計画道路の予定地になると……

① 建築が制限される
② 買収されるまでに時間がかかる
③ いずれ使えなくなることが明白

↓

以上の理由から**評価減**が認められる！

還付が成功したケース

〈基本データ〉
- 駐車場
- 675㎡

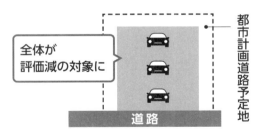

全体が評価減の対象に / 都市計画道路予定地 / 道路

①初めの申告での評価額	**7,000**万円
②見直した後の評価額	**5,600**万円
①－②（減少額）	**1,400**万円

還付額 **700**万円

第3章 相続税は土地評価次第でビックリするほど安くなる

case 19

[都市計画による評価減が認められる土地3]
区画整理事業中の土地評価は工事の進捗度で判断

■**仮換地が指定されている場合は、仮換地を評価して相続税を申告**

　都市計画による整備が行われている区域では、土地区画整理事業で造成工事をすることがあります。例えば、右ページ上段の図のように道路や公園などの公共設備を整備し、土地の形も整えて使いやすくするケースです。

　こういった場合、工事が完了すると、個々の土地の面積は変動しますが、代わりに区画が整理されて環境整備が進みます。すると、土地の利用価値が高まり、地価が上昇することが予想されます。

　では、区画整理の工事中に土地の所有者に相続が発生してしまうと、どうなるでしょう？　区画整理において造成工事終了後に前の土地と引き換えに与えられる土地を**換地**といい、事業途中においてはこれを**仮換地**と呼びます。**相続が起こった時点でまだ仮換地が指定されていない場合は、区画整理事業前の土地（従前地）をもとに評価を行うことになっています。**

　仮換地が指定されている場合は、仮換地を評価して相続税を納めます。ただし、仮換地が使えるようになる日が未定で、造成工事にも着手していないときは、従前地の価額で評価します。また、相続開始時点において、造成工事の完了まで1年以上かかる場合は、仮換地について造成工事が完了したものとした評価額の95％を評価額とします。

　なお、換地後の土地が元の土地に比べてかなり小さくなるなどして価値が下がる場合は、地主に清算金※が支払われることがあります。相続発生時に清算金の交付が確実であれば、清算金を土地の相続税評価額に加算します。逆に土地の価値が上がる場合は清算金が徴収され、清算金を相続税評価額から差し引きます。

　事例では、右ページ下段の図のようにいびつな形の土地を区画整理して、きれいな四角い土地にすることになっていました。しかし工事が長引き、相続開始後1年以上経っても終わらなかったため、仮換地の評価額から5％を減額して還付請求を行い、200万円の還付を受けました。

> **区画整理の造成工事中の土地の相続は、工事の進捗度により評価が変わる**

＊清算金：換地を定めるとき、宅地間で生じる不均衡をなくすためやりとりする金銭のこと。

[土地区画整理事業の評価減]

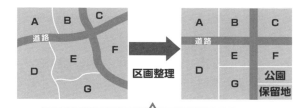

事業区域では区画整理事業の進捗度
によって土地の評価方法が異なる

区画整理後に与えられる予定の土地を**仮換地**という

還付が成功したケース

〈基本データ〉
・宅地
・540㎡

相続開始から1年経過していたが、仮換地は造成工事中だった

⬇

5％評価減

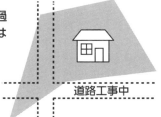
道路工事中

①初めの申告での評価額	**8,000**万円
②見直した後の評価額	**7,600**万円
①-②(減少額)	**400**万円

還付額
200万円

第3章 相続税は土地評価次第でビックリするほど安くなる

case 20

[都市計画による評価減が認められる土地4]
市街化調整区域内の雑種地は付近の似た状況の土地をもとに評価

■市街化調整区域内の雑種地を近くの山林に比準して評価

　市街化調整区域とは、原則として新たに建物を建築することを制限することで都市化を抑制し、自然環境などの保護を重視している地域のことをいいます。そのため農地や山林が多い地域も少なくありません。そのような市街化調整区域に資材置き場や駐車場などの雑種地がある場合の評価についてはどのようにすればよいのでしょう。

　市街化調整区域内にある雑種地は、基本的に利用状況が似ている周りの土地の価額をもとに評価します。

　実際には、周辺の「宅地」の価額に基づいて評価することが多いのですが、周辺が「農地」や「山林」もしくは「原野」ばかりで、その土地で宅地化が見込めない場合などは、周辺の農地等の価額に基づいて評価をすることが可能です。評価は下記計算式のとおりに行います。

$$評価額 = \left(近傍の農地等の1㎡あたりの固定資産税評価額 \times 農地等の倍率 + 宅地造成費 \right) \times 地積(㎡)$$

　右ページ下段の事例は市街化調整区域にあった資材置き場です。周辺は山林が広がり、建物は倉庫が1軒ある程度でした。このような雑種地は宅地利用が見込めないため、周辺と同じ「山林」に基づく低い額で評価すべきです。市街化調整区域内にある雑種地は、一見すると農地や山林が混在している土地でも、土地評価に詳しくない税理士は「宅地」をもとにした評価をしているケースが多く見られます。

　農地等の価額は宅地価額に比べると格段に低くなりますので、周囲が農地や山林ばかりであるのに宅地をもとに評価してしまうと、余計な相続税を納めることになります。市街化調整区域内にある雑種地を評価する際は、周囲の状況の判断を誤らないように注意することが重要です。

> 本当に宅地をもとにした評価が適切か、再検討する

[市街化調整区域内の雑種地]

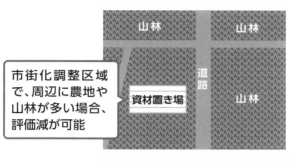

市街化調整区域で、周辺に農地や山林が多い場合、評価減が可能

周囲を山林に囲まれた「資材置き場」

「山林」の価格に基づいて評価

還付が成功したケース

〈基本データ〉
- 雑種地
- 2,500㎡
- 宅地化が見込めない
- 周辺は山林が多い
  ↓
  山林に基づいて評価

①初めの申告での評価額	5,000万円
②見直した後の評価額	3,000万円
①－②（減少額）	2,000万円

還付額 **1,000万円**

case 21

[都市計画による評価減が認められる土地5]
市街化調整区域内の雑種地で宅地をもとに評価する場合、しんしゃくを行う

■役所調査も大事になるしんしゃく割合

前述のとおり、市街化調整区域内にある雑種地の場合、基本的に利用状況が似ている周りの土地の価額をもとに評価します。ただ、市街化調整区域は市街化を抑制する地域ではありますが、まったく建物が建てられないわけではありません。条件を満たし、許可が下りれば建物の建築は可能です。そのため、周囲に宅地が多いということももちろんあり得ます。

そのような地域にある雑種地の評価を行う際は、近隣の宅地の価額をもとに評価を行います。具体的には、路線価地域にある土地の評価と同様に、近隣の宅地価額に相続税の倍率を掛けた価格を正面路線価とし、奥行補正や不整形地補正といった各種補正率を考慮して評価していきます。その際、建築制限の程度に応じて「**しんしゃく**」をすることができます。

このしんしゃくについては右ページ上段のようにしんしゃく割合が国税庁により公表されています。

郊外型店舗が立ち並ぶ地域や、条例で特別に建築が認められた地域など、宅地と同等の取引実態が認められる地域以外の地域は建築制限の度合いに応じて、50％もしくは30％の評価減が可能となります。

建物の建築がまったくできない土地であると判断された場合、全体の評価額の50％の評価減が可能で、一定の用途で建築が可能である場合には30％の評価減が可能です。

右ページ下段の事例では、当初の申告でしんしゃく割合は考慮されていませんでした。役所調査をしたところ、「対象土地は市の基準を満たしていないため建築が不可能」ということが判明し、50％の評価減に改め、約1,000万円もの差額が生まれました。

しんしゃくの判断はむずかしく、定められている要件が複雑な場合もありますので、入念な役所調査が必要です。

> 宅地をもとに評価する場合、しんしゃくが可能かを検討する

[しんしゃく割合]

周辺（地域）の状況	比準地目	しんしゃく割合
① 純農地、山林、純原野	農地比準、山林比準、原野比準	
② ①と③の地域の中間（周囲の状況により判定）	宅地比準	しんしゃく割合50%
		しんしゃく割合30%
③ 店舗等の建築が可能な幹線道路沿いや市街化区域との境界付近	宅地価格と同等の取引実態が認められる地域（郊外型店舗が立ち並ぶ地域等）	しんしゃく割合 0%

市街化の影響度　弱 ← → 強

還付が成功したケース

〈基本データ〉
- 駐車場
- 540㎡

田や畑、家が混在する地域の駐車場

①初めの申告での評価額 …… **2,000**万円
②見直した後の評価額 …… **1,000**万円
①-②（減少額） …… **1,000**万円

還付額
500万円

case 22

[造成する必要のある土地1]
市街地農地や砂利敷き駐車場は将来かかる宅地造成費も想定

■整地が必要か否かは現況を見て判断する

　市街地にある農地や駐車場などは、周囲の宅地価額に準じた相続税評価をするのが一般的です。ただし、そのままで宅地にできるとは限らないため、**将来見込まれる造成費を評価額から控除できる**ことになっています。

　この造成費は実際の費用を試算するのではなく、国税庁が都道府県別に毎年度定める金額で計算します。例えば、東京都の令和6年分の造成費は、整地費が1㎡あたり800円、伐採・抜根費が同1,000円です。都道府県によって異なりますが、これらは国税庁のホームページで確認できます。

　右ページ上段の事例では、初めの申告で平坦な駐車場として評価した土地が、現地で確認すると砂利敷きで凸凹があり、整地しないと宅地に転用できない状態でした。そのため500㎡の土地の整地費控除と、他の減額要因をあわせて200万円の評価減となり、100万円が還付されました。整地が必要か否かは現況を見ないと判断できないため、見落とす例が目立ちます。

　次に右ページ下段の田のケースです。**宅地として利用するためには道路の高さまで土を入れて盛り上げる必要があった**ので、初めの申告を担当した税理士は、土盛費と整地費を控除して相続税申告をしました。ところが、土盛をするには、盛り土の流出や崩壊を防ぐ土止工事も行わなければならず、**土止費**も控除することができます。

　この土止の工事費用を国税庁の定めた単価で計算すると1,000万円になり、還付請求をしたところ相続税評価額から土止費が減額されて500万円が戻ってきました。**土止費は比較的高額なので、大きな還付につながる可能性**があります。なお、湿田など土がゆるんでいる土地の評価では、地盤を安定させるための工事の費用（地盤改良費）も土盛費、土止費と同様に控除されます。

整地費や土止費などを見落としていないか？

［凸凹のある土地の「整地費」控除］

還付が成功したケース

〈基本データ〉
・駐車場
・500㎡

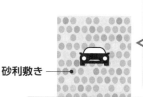

砂利敷き

コンクリート舗装ではなく砂利敷きの凸凹がある駐車場だったが、整地費が控除されていなかった

道路

①初めの申告での評価額 ……………………… 2,000万円
②見直した後の評価額 ……………………… 1,800万円
①－②（減少額） ……………………… 200万円

※他の評価減も含む

還付額 100万円

［道路より低い土地での控除］

還付が成功したケース

〈基本データ〉
・田
・300㎡

〈上から見た図〉
20m
15m
20m
道路

〈横から見た図〉
1.4m
道路

土盛りと土止めが必要だったが、土盛費しか控除されていなかった

①初めの申告での評価額 ……………………… 3,500万円
②見直した後の評価額 ……………………… 2,500万円
①－②（減少額） ……………………… 1,000万円

還付額 500万円

第3章 相続税は土地評価次第でビックリするほど安くなる

case 23

[造成する必要のある土地2]
市街地の農地や山林で傾斜がある土地は、宅地造成費が控除できる

■傾斜地はどれくらいの傾斜があるか確認する

　市街地にある畑や山林などの土地が傾斜していれば、宅地に転用するための造成費を相続税評価額から控除できます。相続税評価では市街地の農地・山林・雑種地などで傾斜度が3度を超える土地を**傾斜地**といい、**傾斜度が大きければ大きいほど造成費は高くなります。**
「がけ地（敷地の中に斜面がある土地）」（case8）は宅地の評価のみにおいて適用できますが、これに対して「傾斜地」は、宅地以外の地目の土地に適用することが可能です。

　このような土地の場合に控除できる傾斜地の宅地造成費には、整地費、土盛費、土止費が含まれています。加えて樹木の伐採・抜根が必要な土地であれば、伐採・抜根費を別途控除することができます。

　傾斜度が3度以下の土地であれば、傾斜地としてではなく、平坦地として整地費や土止費などの造成費を状況に合わせて適用します。また、30度を超える大きな傾斜がある土地は、宅地に転用するのがむずかしくなるので、宅地化を前提としない純山林などとして相続税評価をする場合（case24）が多くなります。

　傾斜度の調査方法は、レーザー測定器などを使って確認します。土地に凸凹があったり木が生えていたりして計測できなければ、国土地理院が公表しているデータに基づいて高低差を計算し、傾斜度を算出します。

　相続税申告後に現地調査をしたある原野は、傾斜度が12度の土地であることが判明しました。そのため、傾斜地の宅地造成費と伐採・抜根費を控除して還付請求を行い、2,700万円の減額に成功。最終的に1,350万円が還付されました。

現地調査で傾斜度が3〜30度の土地は、
傾斜地の宅地造成費を控除する

[傾斜地の宅地造成費]

〈傾斜地の宅地造成費用の例　東京都（2023年分）〉

傾斜度	造成費
3度超　5度以下	2万300円/m²
5度超　10度以下	2万4,700円/m²
10度超　15度以下	3万7,600円/m²
15度超　20度以下	5万2,700円/m²
20度超　25度以下	5万8,400円/m²
25度超　30度以下	6万4,300円/m²

※傾斜度については、原則として、測定する起点は評価する土地に最も近い道路面の高さとし、傾斜の頂点（最下点）は、評価する土地の頂点（最下点）が奥行距離の最も長い地点にあるものとして判定します。

還付が成功したケース

〈基本データ〉
・原野
・700㎡

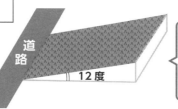

平坦な原野として評価されていたが、12度の傾斜があることが判明

① 初めの申告での評価額 ………… 9,000万円
② 見直した後の評価額 ………… 6,300万円
①－②（減少額） ………… 2,700万円

還付額 **1,350万円**

case 24

[造成する必要のある土地3]
市街地にある傾斜の大きい山林は大幅に減額できる

■現地を確認して急傾斜の山林だったら純山林として大幅な評価減

　住宅地の中に取り残されたように山林がある光景を目にすることがあります。このような土地は急傾斜地と呼ばれ、「急傾斜地の崩壊による災害の防止に関する法律」により、傾斜度が30度以上である土地と定義されています。こうした山林も、基本的には将来宅地化することを前提に、周囲の宅地価額を基準として相続税評価額を算出します（→ case23）。

　しかし、傾斜があまりに急な土地は宅地化することがむずかしく、できたとしても膨大な費用がかかるので、宅地価額を基準に評価するのは適切ではありません。そのような場合は**付近の純山林の価額**を基準に評価します。

　山林は宅地よりもはるかに地価が低くなります。そうしたことに気づかず、急傾斜地を宅地価額基準で申告すると、本来は必要のない高額な相続税を納めることにつながります。

　右ページ下段で紹介する事例では対象の山林が市街化区域にあったため、宅地価額を基準に評価していました。しかし地図やGoogleのストリートビューで見ただけでも、家を建てられそうにない土地だとわかりました。確認してみると傾斜が30度以上あり、自治体から「急傾斜地崩壊危険区域」に指定されていました。

　そこで、土地の評価を山林価額基準に見直して還付請求をした結果、評価額が当初の2億円からわずか70万円にまで下がりました。

　この「急傾斜地崩壊危険地域」や「土砂災害（特別）警戒地域」に指定されている区域は、傾斜30度以上の急傾斜地やその近隣の土地であるケースが多いです。市街化区域等の住宅地の中に山林があったら、**宅地開発ができないから残っているのではないかと、まず疑ってみる**とよいでしょう。傾斜が30度以上であれば宅地化困難の可能性が高いといえます。

> **住宅地にある山林は、傾斜が何度くらいかをまず確認！**

[宅地化が見込めないのはどんなケース？]

1. 宅地造成が不可能と認められる傾斜地

> 傾斜度 20 度以上で可能性あり
> 傾斜度 30 度以上は可能性大

2. 多額の造成費が必要で採算が合わない

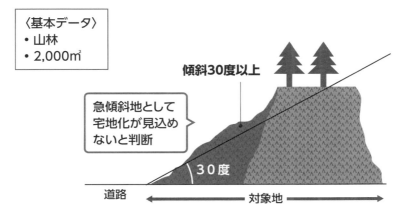

還付が成功したケース

〈基本データ〉
- 山林
- 2,000㎡

急傾斜地として宅地化が見込めないと判断

傾斜30度以上

30度

道路　対象地

① 初めの申告での評価額　……………… 2億円
② 見直した後の評価額　………………… 70万円
① − ②（減少額）　……………………… 1億9,930万円

還付額
9,960万円

case 25

[他者の権利が関わる土地1]
敷地内に誰でも自由に通り抜けられる私道がある

■1棟マンションの一部が私道で、0円評価に

個人の土地を私道として使っていたときは、次のような3通りの相続税評価の方法があります。

①	公道から公道への抜け道や公園、商店街などに出入りする道など、不特定多数の人が通行する私道	→ 公共性があるため私道として評価しない（0円）
②	複数の家に出入りするための行き止まりの道など、特定の人が通行する私道	→ 私道の土地の評価は70％減額される
③	一軒家や一棟のマンションに出入りするための私道	→ その建物の敷地とともに宅地として一体評価するので、私道となっている部分の土地でも減額することはできない（右ページ上段の図）※

※占有されている行き止まりの私道であっても、建築基準法の道路として指定されていれば、他者が通行する権利が発生するとして、②と同様に70％減額できる場合があります。

■個人の土地を私道として使ったときの相続税評価

右ページ下段の事例は、建築基準法上の道路に指定されていることを見落とし、全体を建物の敷地として一体評価してしまっていたケースです。1棟マンションの一部に私道がありました。役所で調べたところ、この私道はcase10で説明した建築基準法第42条の2項道路に指定されていることがわかりました。

この場合、建築基準法上の道路として指定されている部分はマンションの敷地とは一体評価せずに分けて考えるべきです。そこで、改めて評価単位を「私道部分」と「マンション」の2つに分け、私道部分は公道から公道へと通り抜けが可能な不特定多数の人が通行する私道であるため、価額を評価せずに還付請求をした結果、300万円の評価減となりました。

> **通り抜けられる私道の価額は、評価しない**

[私道として評価できない例]

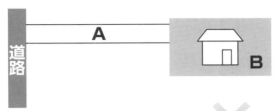

A は宅地 B だけに通じている ➡ 私道評価 ✕

還付が成功したケース

〈基本データ〉
・宅地
・730㎡

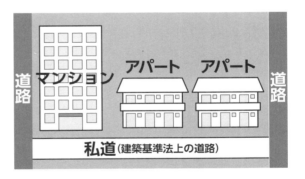

私道（建築基準法上の道路）

一体評価をせず、「私道部分」「マンション」の評価単位に分ける

① 初めの申告での評価額 ・・・・・・・・・ **9,200万円**
② 見直した後の評価額 ・・・・・・・・・・ **8,900万円**
①－②（減少額） ・・・・・・・・・・・・・・・ **300万円**

還付額
150万円

case 26

[他者の権利が関わる土地2]
高圧線が通る土地は建築制限の内容で減額割合が決まる

■現地や地図を確認しないと、上空を通る高圧線は見落としやすい

　上空に高圧線が通っている土地は、「高圧線の垂れ下がった部分から高さ○○m以内は建物が建てられない」といった内容の建築制限がかかります。そのため、建築制限の程度や制限されている面積に応じて、相続税評価額が減額されます。家屋の建築がまったく認められない場合は、**評価額の50％**かその土地の**借地権割合**か、どちらか高いほうを控除します。該当する土地の借地権割合は、国税庁がホームページで公表している路線価図に掲載されています。

　家屋の建築が認められていても、家屋の構造や用途などが制限されているときは、**30％の評価減**となります。こうした建築制限に関する詳細は、登記簿か、電力会社と交わした契約書類などで確認できます。

　右ページ下段の事例では500㎡の土地のうち360㎡について建築制限がかかっていました。初めの申告を担当した税理士はそのことを見逃していましたが、現地で確認すると上空に高圧線が通っていました。さらに、登記簿を確認すると、地役権つまり建築制限する権利についての記載がありました。

　そこで改めて土地の評価を見直した結果、建築制限がかかる部分については30％の減額ができることがわかったため、還付請求を行い、600万円が戻ってきました。**上空を通る高圧線は、その存在を意外と見落としやすいので気をつけたいチェックポイント**です。高圧線が通っているかどうかは、現地での調査や住宅地図から確認できます。

　なお、建築制限の内容をよく確認せずに、一律30％減額で申告するような例も見受けられます。家屋の建築がまったく認められないケースでは、50％か借地権割合によってそれ以上の減額が受けられるので、**わざわざ低い減額で申告しない**ように注意します。

> 登記簿等で高圧線による建築制限の内容を確認する

[「高圧線下の土地」の評価減]

高圧線が通っている土地は、建築制限を受ける
市街地の土地では、その制限の内容を考慮して次の評価減を行う

● **家屋の建築がまったく認められない場合**

50%か、その土地の借地権割合のうち、
どちらか高いほうで減額

● **家屋の構造、用途などに制限を受ける場合**

30%減

還付が成功したケース

〈基本データ〉
・駐車場
・500㎡

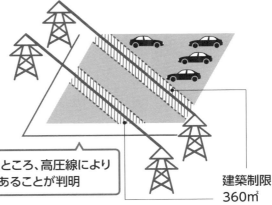

登記簿を確認したところ、高圧線により
一部、建築制限があることが判明

建築制限
360㎡

① 初めの申告での評価額 …………… **5,600**万円
② 見直した後の評価額 ……………… **4,400**万円
① - ②(減少額) ……………………… **1,200**万円

還付額
600万円

第3章 相続税は土地評価次第でビックリするほど安くなる

case 27

[会社が所有している土地]
会社所有の土地評価は非上場株式の評価額に影響する

■土地評価を減額し、非上場株式の評価も大きく減額

　会社の名義で土地を所有している場合、土地の評価はもちろん、その会社の株式の評価にも影響するので注意しなければなりません。特に問題が生じやすいのは、**同族経営の中小規模の非上場会社で、自社株を所有していた社長や役員が亡くなった場合**です。

　相続税は被相続人が所有していた株式にも課税されます。しかし、非上場会社の株は上場企業の株と違って市場で取引されず、市場価格から株価を決めることができません。そこで、小規模の非上場企業の株式は、相続時に右ページ上段の図のように評価するよう決められています。

　ここでは、図の①「原則的評価方式」において還付に成功したケースを紹介します。原則的評価方式においては、相続開始時点でその会社が所有する純資産の価額が、株式の評価に大きく影響します。右ページ下段の事例では、会社の経営を左右するほどの支配力を持つ同族の大株主に相続が発生しましたが、会社が所有している資産の中に地積規模の大きな宅地（case1）がありました。

　初めに相続税申告を担当した税理士は、この土地を地積規模の大きな宅地として評価せず、土地、建物、設備、車両、預金などを合わせた会社の総資産4億5,000万円をもとに会社の株価を算出していました。

　しかし、土地について地積規模の大きな宅地の評価を行えば、土地の相続税評価額が減額され、会社の総資産額は4億円に減ることがわかりました。そこで還付請求を行ったところ、土地の評価減にともなって株式の評価額が初めの申告時の6,500万円から1,000万円減額されて5,500万円になり、500万円が戻ってきました。

　このように土地の評価は非上場株式の評価に大きく影響することがあるので、土地の評価減を見落とさないことが大切です。

> 土地の評価減を見逃すと、
> 会社の株式の評価も高くなってしまう

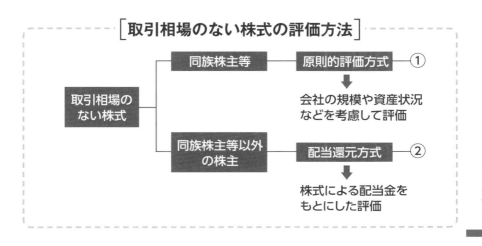

①初めの申告での株式の評価額	6,500万円
②見直した後の株式の評価額	5,500万円
①－②（減少額）	1,000万円

還付額
500万円

第 4 章

相続税の節税のためにやっておきたい生前対策（不動産関係）

相続が発生した後の相続税対策は限られる。相続税が発生する見込みがある人は、生前から税金を抑える対策をとっておきたい。特に財産割合の3割を超える土地は評価額を抑えることができるため、その節税効果は大きい。

主な内容
- 相続税の生前対策の基本
- 「小規模宅地等の特例」の基本と応用
- 贈与税の節税
- 不動産を活用した「相続税節税対策」のリスク
- 賃貸物件建築に潜むリスクと"タワマン節税"の見直し

4-1 生前対策での不動産の基本を押さえよう

生前対策の基本は、自分の所有している不動産をよく知ること

■所有不動産の見直しをしましょう

　生前対策の基本として、まずは、所有している不動産を見直しましょう。見直しのポイントはその活用状況です。**不動産は持っているだけで固定資産税等の維持費がかかります。**未利用の不動産、例えば先祖代々の土地だからという理由だけで保有し続けている土地、投資用に買ったが空室が続いているマンションなどは売却し、有効活用できる不動産、例えば駅から近いマンション等の高収益物件に買い替えることを検討することも生前対策のひとつです。

　相続しても維持費がかかるだけの土地は、ご自身の財産を減らすばかりか、相続が発生した際には取得したい相続人がいないため、遺産分割協議がまとまらない原因ともなります。

　どんな不動産でも相続が発生したときに所有していれば、相続財産として相続税の対象になります。相続が発生したときに不動産ばかりで預金が少ない場合は相続人が納税資金に苦労することにもなりかねません。相続した人が納税資金に充てようと相続財産の不動産を売却したくてもなかなか売れないか、売り急いで安い価格でしか売れないことになります。

　特に、未利用の山林、家を建てられない市街化調整区域の土地、耕作していない農地は売るのがむずかしいか、売れても安い金額となることが多く、相続後の現金化にも苦労します。このような**土地は生前に売却し、納税資金として預金にしておくことも円滑な相続手続きのためには有効**です。

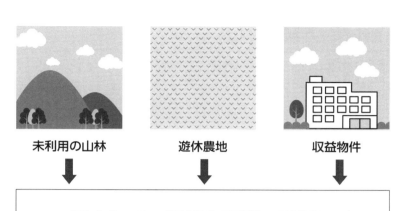

■土地の評価額を下げることができる不動産はないか

　不動産が相続税対策に有効であることは間違いないのですが、生前から、相続が発生した際にその不動産の評価額を下げられるような工夫をしていないと本当の相続税対策とはいえません。

　例えば、貸しアパートの空室を減らす（102ページ）、駐車場付きのアパートの場合は駐車場の利用者をアパート賃借人だけにする、地面にロープを引いただけの駐車場をアスファルト敷きにする（116ページ）、といったようなことで相続税を節税できますので、本書を参考にして相続税評価額を下げることができる土地はないかを見直してみましょう。

4-2 なぜ相続税対策で不動産が重要なのか

相続税対策のために不動産の評価のしくみを知る

■**相続財産の評価の原則**

土地の相続税評価額は、売買取引価額よりも一般的に低くなります。それはなぜでしょう。

道路に相続税路線価が付されている地域は路線価地域といって、**路線価×地積で土地の評価額を算定**します。その際に第3章に記載のようにさまざまな観点で減額し、相続税評価額を算定します。

この評価の基礎となる路線価は、公示価格（国土交通省公表：不動産鑑定、公共事業用地の取得価格算定の基準）の8割とされています。**公示価格は時価に近いので、路線価評価は一般的に時価より2割低いということになります**。1億円の土地を買えば相続税評価は理論上概ね8,000万円になる計算です。

建物の相続税評価には、固定資産税評価額を使用します。固定資産税評価額も、通常、時価より低くなっていますので、建物を新築した場合には預金で持っている場合よりは相続税評価額は減少します。

■**貸している土地はさらに評価額が下がる**

自分の土地の上に自分の家が建っている場合のように自分で使っている土地を自用地といいます。自用地は持ち主が自由に処分できる土地です。自己所有の土地が未利用の場合や、無償で親族に貸している場合も自用地に該当します。上の8,000万円の土地が自用地であれば、相続税評価額は8,000万円になります。

しかし、その土地を他人に貸し付けている場合や、土地の上に家を

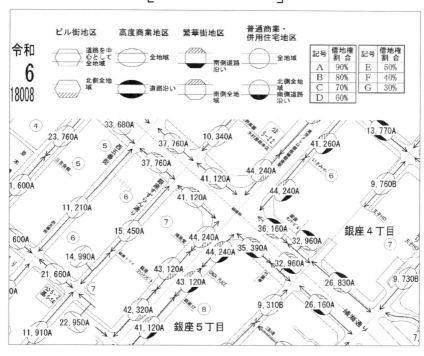

建てて貸家としている場合の相続税評価額は自用地より低くなります。

　自用地であればその土地を自由に利用、処分できますが、その土地を貸して地代や家賃を受け取っている場合は自由に処分することができません。

　例えば、土地の借主が借りた土地の上に自宅を建てている場合に、「この土地を売りたいから直ちに家を壊して出て行ってくれ」というわけにはいきません。この場合借地人には「**借地権**」という権利があって保護されます。借地人の権利で不自由になる分、土地の評価額は減額されます。

　減額の割合（**借地権割合**）は国税庁が公表している路線価図にアル

ファベットと割合が記載されていて、地域によってA（90％）からG（30％）となっています。倍率地域の場合は、倍率表から借地権割合を確認することができます。

また、借地権割合がD（60％）の路線価に面した土地の場合、自用地の評価額が8,000万円であれば、借地権の評価額は4,800万円（8,000万円×60％）になります。

土地の所有者にしてみれば4,800万円の借地権相当額だけ自分の土地の評価が下がることになり、3,200万円（8,000万円－4,800万円）の評価額となります。

■自用地に貸家を建てた場合の土地の評価は？

では、自用地評価額8,000万円の土地に自分でアパートを建てて人に貸したときの土地評価はどうなるでしょう。このように貸家が建っている土地を「**貸家建付地**」といいます。

この場合、土地そのものを貸すほどではありませんが、借家人の権利の分だけ使用、処分が制限されます。この借家人の権利を「**借家権**」といい、路線価図と同様に国税庁が公表し、**全国一律30％**となっています（令和6年時点）。

貸家建付地の土地評価額は次の算式で算定します。

自用地評価額 ×（1 － 借地権割合 × 借家権割合 × 賃貸割合）

例えば、借地権割合がD（60％）の場合で4室中3室が入居中（総床面積200㎡、各部屋の床面積はすべて50㎡）、自用地評価額が8,000万円であれば、その土地評価額は、下記のようになります。

$$8{,}000万円 \times (1 - 0.6 \times 0.3 \times 150㎡/200㎡) = 6{,}920万円$$

計算式の中の 0.3 は借家権割合で、150㎡/200㎡は 4 室中 3 室が入居ということです。入居者のいる部屋の床面積分相当だけ使用・処分が制限されるという考え方です。したがって入居率が上がれば制限が大きくなるので評価額は下がり、入居率が下がれば制限が小さくなるので評価額は上がります。

　また、入居率は 4-3（103 ページ）以降で説明する減額要素である小規模宅地等の特例の適用をする場合にも影響します。小規模宅地等の特例も、入居している部分に対応する宅地だけが適用できます。

　なお、親族等に相場よりも低い額で貸し付けられている場合は、その部分について貸家建付地の評価をできないことがあります。

　このように、相続税対策としては空室を減らしておくことが重要です。

■貸家の建物も評価額が下がる

　建物は固定資産税評価額で評価します。自宅のように自分で利用している家は固定資産税評価額で評価されますが、貸家として家賃を受け取っている建物は、借家権分評価額が減額されます。貸家として家賃を受け取っている場合は次の算式で評価します。

固定資産税評価額 ×（1 － 0.3 × 賃貸割合）

　例えば、固定資産税評価額 1,000 万円の貸家で、4 室中 3 室が入居中（1 室 50㎡の部屋が 4 室）の場合は、1,000 万円 ×（1 － 0.3 × 150㎡/200㎡）＝ 775 万円となります。

　0.3 は借家権割合です。貸家の建物の場合も賃貸割合を掛けますので、入居率を上げることが相続税対策には重要です。

[貸家建付地の評価]

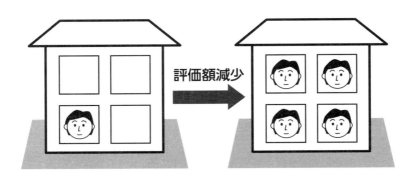

自用地価格が8,000万円の場合の入居戸数(全戸数4戸)に応じた土地の評価額

利用区分	相続時入居戸数	小規模宅地等の特例 適用前	小規模宅地等の特例 適用後
自己使用		8,000万円	8,000万円
貸家	0戸	8,000万円	8,000万円
貸家	1戸	7,640万円	6,820万円
貸家	2戸	7,280万円	5,640万円
貸家	3戸	6,920万円	4,460万円
貸家	4戸	6,560万円	3,280万円

> 賃借人がいなければ自用地と評価額は同じ

※借地権割合は60%
※土地の面積 200 ㎡
※総床面積 200 ㎡ 各部屋の床面積は 50 ㎡

4-3 相続税を大幅に軽減できる「小規模宅地等の特例」の基本

小規模宅地等の特例を見据えて生前対策をする

■遺産総額1億円でも小規模宅地等の特例で相続税0円に

「小規模宅地等の特例」は相続税が課税される宅地の評価額を大幅に減額できる制度です。この制度のおかげで、1億円の相続財産があっても相続税額が0円になることがあります。

相続税は相続財産が基礎控除額を超える場合に課税されます。基礎控除額は、「3,000万円＋600万円×法定相続人の数」で計算します。例えば、法定相続人が、配偶者と子供2人の場合、基礎控除額は4,800万円（3,000万円＋600万円×3人）となります。この場合に相続財産が1億円であれば基礎控除を超える5,200万円（1億円－4,800万円）に相続税が課税されます。

しかし、下表のように小規模宅地等の特例が適用できれば、課税される財産の金額は基礎控除以下となるため相続税は0円となる場合があります。ただし、小規模宅地等の特例を適用して相続税を0円とするためには、相続税申告が必要となりますので注意しましょう。

財産の種類	小規模宅地等の特例 適用前	小規模宅地等の特例 適用後	適用前と適用後の差
現金	2,000万円	2,000万円	0円
自宅土地（180㎡）	6,000万円	1,200万円	▲4,800万円
自宅家屋	200万円	200万円	0円
貸駐車場（90㎡）	1,800万円	900万円	▲900万円
合計	1億円	4,300万円	▲5,700万円
基礎控除	▲4,800万円	▲4,800万円	－
課税される財産額	5,200万円	0円	▲5,200万円

■どのような土地が小規模宅地等として減額できるのか

　小規模宅地等の特例は、被相続人が所有していた土地のうち、住むためや一定の事業を行うための建物等の敷地として利用されていた宅地に適用できます。

　被相続人と同居していたり、一緒に事業を行っていたりした親族が、その住まいや店舗等を相続した場合に、多額の相続税のためにその土地等を手放すことなく、相続後も引き続きその家に住み続けたり、事業を継続したりできるように配慮した税制です。

　小規模宅地等の特例は、適用される宅地によって次の4つに区分され、適用できる限度面積、減額割合が異なります。

①特定居住用宅地等
　被相続人が住んでいた宅地と被相続人と生計が一緒だった親族の住んでいた宅地が該当します。

② 貸付事業用宅地等
　貸付事業用宅地も被相続人が貸付事業を行っていた土地と被相続人や被相続人と生計が一緒だった親族が貸し付けていた土地に適用されます。

③特定事業用宅地等
　被相続人または被相続人と生計が一緒だった親族の事業に利用されていた宅地等が該当します。

④特定同族会社事業用宅地等
　被相続人および被相続人の親族等が発行済み株式等の50％超を保有している法人の事業に利用されていた宅地等が該当します。

　③と④は似ていますが違います。③は、被相続人が個人事業で利用していた建物（事務所や店舗等）の敷地が該当します。④は被相続人や被相続人の親族が株主となっている会社の建物（本社建物等）の敷地が該当します。

貸付には、不動産貸付業、駐車場業、自転車駐車場業が該当します。

■どれくらいの減額ができるか(限度面積と減額割合)

小規模宅地等の特例は、小規模宅地等の区分に応じて、特例を適用できる限度面積及び減額割合が定められています。

小規模宅地等の区分	限度面積	減額割合
①特定居住用宅地等	330㎡	80%
②貸付事業用宅地等	200㎡	50%
③特定事業用宅地	400㎡	80%
④特定同族会社事業用宅地等		

表の区分に応じた面積に相当する宅地の評価額を限度として減額できます。

例えば、被相続人が住んでいた自宅の土地に小規模宅地等の特例の適用をするケースで、その宅地の評価額が5,000万円、地積が500㎡だった場合、500㎡のうち330㎡まで特例が適用できることになりますので、3,300万円（5,000万円×330㎡／500㎡）について特例による減額ができることになります。

■2つ以上の宅地を併用して特例を適用する場合の限度面積

上表の2以上の宅地を併用して特例を適用することは可能ですが、その場合の限度面積は次のようになります。

①と③・④を併用する場合は、730㎡（330㎡＋400㎡）まで適用ができます（③と④は併せて400㎡まで）。

しかし、②を併用する場合は、次の算式のとおり、①と③・④を200㎡換算して合計面積が200㎡まで適用可能となります。

$$①×200／330＋②＋(③＋④)×200／400 ≦ 200㎡$$

[小規模宅地等の特例の概要とその併用]

①特定居住用宅地等
330㎡まで

②貸付事業用宅地等
200㎡まで

③特定事業用宅地等

④特定同族会社事業用宅地等

③と④併せて400㎡まで

①（330㎡）と③+④の併用は730㎡（330㎡+400㎡）まで
②との併用をする場合は次の数式で200㎡まで

①×200/330 + ② + (③+④)×200/400 ≦ 200㎡

　また、減額できる割合も小規模宅地等の区分によって異なります。
　特定居住用宅地等は80％の減額ができますので、相続税評価額として算出した金額の20％が課税対象となります。例えば、相続税評価額が3,000万円で300㎡の宅地の場合は、課税される評価額は600万円（3,000万円×0.2）となります。

■小規模宅地等の特例が適用できる要件

　小規模宅地等の特例を適用できる要件は宅地の区分ごとに異なり、取得した相続人によって特例適用のために必要な要件が異なります。具体的には次ページ以降で見ていきます。

4-4 特定居住用宅地等なら自宅の評価額が80％減額

多くの相続で利用されているため上手に活用しよう

■小規模宅地等の特例の「特定居住用宅地等」が適用できる取得者

　被相続人が住んでいた宅地（特定居住用宅地等）には、小規模宅地等の特例が適用できます。原則として被相続人が亡くなるまで住んでいたことが必要なのですが、被相続人が要介護認定等を受けて老人ホームに入所した場合は、亡くなったときに住んでいない宅地でも適用できます。

　この特例は、取得者によって要件が異なります。特例を適用できる取得者は次に該当する場合に限られます。

①配偶者
②被相続人と同居していた親族
③持ち家のない親族（「家なき子」といわれています）

[適用できる取得者のイメージ]

■取得者によって適用要件が異なる

前ページ①〜③の取得者によって要件が異なるのですが、初めから要件を細かく見ていくと混乱するので、初めは次の図で、その土地に小規模宅地等の特例が適用できそうかを検討するとよいでしょう。

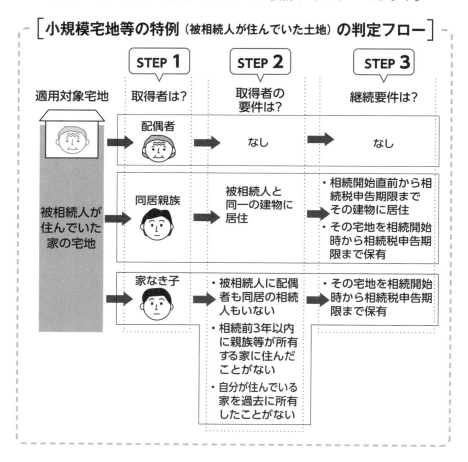

上の判定フローのとおり、配偶者が居住用宅地を取得した場合には取得者の要件がないのですが、同居親族には「同居」要件、家なき子にはいくつかの要件があります。これら要件のポイントについて、次ページ以降で見ていきます。

4-5 同居の親族が「特定居住用宅地等」を取得して小規模宅地等の特例を利用する

「同居」の「親族」に該当するためには？

■うっかりしやすい同居の考え方

　被相続人が住んでいた自宅に同居していた親族がその自宅の敷地を相続すれば小規模宅地等の特例が使えるのですが、「同居」の要件を満たしていないと適用できませんので注意が必要です。

　同居の親族とは、**被相続人が亡くなる直前に、被相続人が住んでいた一棟の建物に同居していた親族**をいいます。

　同居とは、一緒に住み一緒に生活をするということです。同居といえるかどうかは、生活拠点がどこかなど多角的に検討することになりますが、単に住民票を移しただけの場合や、介護のために一時的に寝泊まりして面倒を見ていた場合などは小規模宅地等の特例の要件を満たしません。

　一棟の建物とは同じ建物ということです。したがって、同じ被相続人の敷地であっても、別棟に住んでいた場合は小規模宅地等の特例を適用できません。

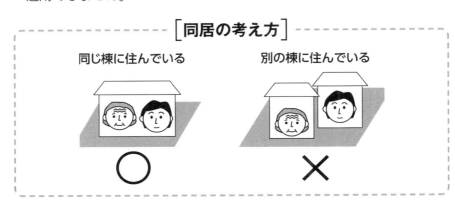

[同居の考え方]

また、「区分所有建物」である登記がされている建物では小規模宅地等の特例が認められませんので、マンションや二世帯住宅で区分所有建物登記されているものは小規模宅地等の特例が適用できません。

[区分所有建物登記の場合は認められない]

マンション等　　　二世帯住宅

不動産登記事項証明書
専有部分の家屋番号
専有部分の建物の表示
敷地権の表示

区分所有建物の敷地は小規模宅地等の特例が適用できない！

■被相続人と同居していた親族の「親族」とは

　小規模宅地等の特例での**同居**の「**親族**」とは、**配偶者および6親等内の血族、3親等内の姻族**をいいます。

　親族には、相続人だけでなく遺贈で遺産を取得した親族も含まれます。したがって、要件を満たす孫が宅地を取得した場合であっても、その他の要件を満たせば、その孫は小規模宅地等の特例を適用することができます。

　ただし、子が存命の場合には、孫は相続人でないため遺言書によって遺贈をする必要があります。

　なお、被相続人の配偶者、親、子以外の人、例えば相続人でない孫等が遺産を取得すると相続税額は2割増しになります。

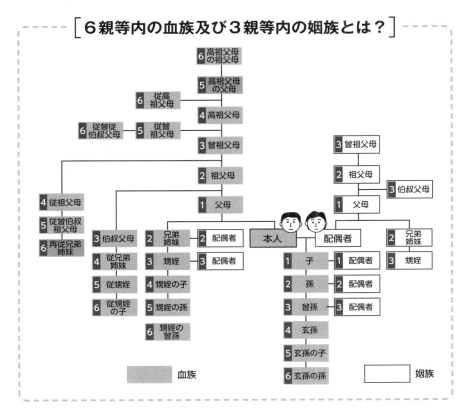

[6親等内の血族及び3親等内の姻族とは？]

同居の親族が居住用宅地等で特例を適用する場合の要件のまとめ

適用できる宅地	適用のための要件
被相続人が住んでいた宅地	・被相続人と同居 ・相続開始直前から相続税申告期限までその建物に居住 ・その宅地を相続開始時から相続税申告期限まで保有 （配偶者が取得する場合は要件なし）

■親族が住んでいた宅地でも使えることがある

被相続人ではなく、親族が住んでいた宅地でも小規模宅地等の特例が適用できるケースがあります。

例えば、被相続人である親の土地を子供が無償で借りて家を建てて住んでいる場合に、その子供が被相続人と同一生計であるような場合が該当します。

この宅地を取得する同一生計親族は、保有継続要件の他、相続開始前から相続税申告期限まで引き続きその家屋に居住することが必要（居住継続要件）ですが、配偶者が取得する場合にはこの2つの要件は不要です。

同一生計親族が居住用宅地等で特例を適用する場合の要件のまとめ

適用できる宅地	適用のための要件
同一生計親族が住んでいた宅地	・被相続人と同一生計 ・相続開始前から相続税申告期限までその家屋に居住 ・その宅地を相続開始時から相続税申告期限まで保有 （配偶者が取得する場合は要件なし）

4-6
借家住まいの親族なら「家なき子特例」の適用を

「家なき子」に該当する親族はいませんか？

■家なき子特例とは

　配偶者でも同居の親族でもない、さらに同一生計でなくても小規模宅地等の特例が適用できる人がいます。いわゆる「**家なき子**」といわれる持ち家がない親族です。

　被相続人はすでに配偶者も亡くなり一人住まい。相続人は被相続人の子3人（長男、長女、次男）。長男、長女は自己所有のマンションで暮らしている。次男は、転勤が多いので賃貸住宅住まいで、これまで不動産を購入したことがない。このような次男が家なき子特例を適用できる典型的なケースです。

　このような相続人がいる場合は、家なき子の適用を検討しましょう。

■小規模宅地等の特例の「家なき子」の要件

　家なき子として小規模宅地等の特例を受けるための主な要件は次のとおりです。
①被相続人に配偶者がいないこと
②相続開始の直前に同居の相続人がいないこと
③相続開始前の3年間に取得者本人、取得者の配偶者、取得者の3親等内の親族、取得者と特別の関係がある法人が所有する家屋に住んだことがないこと（被相続人が住んでいた家屋は除く）
④相続開始時に取得者が住んでいる家屋を過去一度も所有したことがないこと
⑤相続した土地を、相続税申告期限まで所有していること

要件の①、②は、被相続人に配偶者も同居の相続人もいないということです。配偶者、同居の相続人がいない場合に初めて家なき子特例が適用できます。

　③、④の要件は、先に述べた家なき子特例が適用できる典型的な例のために創設した制度なのに、この制度を利用するためだけに、自宅を親族、親族の関係会社等に名義移転をし、今度はその親族等から自分の元持ち家に借家住まいで家なき子状態を作り出すというような行きすぎた節税策を防止するための規定です。

　⑤は、小規模宅地等の特例お決まりの保有継続要件です。

■家なき子には居住継続要件がない

　被相続人の住んでいた家及び同一生計親族の住んでいた家について小規模宅地等の特例を適用するための要件としては、居住継続要件があります。ところが、家なき子特例で小規模宅地等の特例を適用する場合にはこの要件がないので、自由に利用ができます。

　ただし、保有継続要件はありますので、申告期限まで保有し続けなければなりません。

家なき子特例を適用できるための要件のまとめ

適用できる宅地	適用のための主な要件
被相続人が住んでいた宅地	被相続人の要件 ①配偶者がいない ②同居の相続人がいない 家なき子の要件 ①相続前3年間に親族等の家に住んでいない ②相続時に住んでいる家を過去に所有したことがない ③その宅地を相続開始時から相続税申告期限まで所有

4-7 貸し付けている土地があれば「貸付事業用宅地等」を利用する

取得者の要件がゆるい貸付事業用宅地等を活用しよう

■小規模宅地等の特例「貸付事業用宅地等」の要件

貸付事業用宅地等の貸付事業とは不動産業、駐車場業、自転車駐車場業に限られていますので、貸地、貸アパート、月極駐車場などに利用されています。

ところで、小規模宅地等の特例が適用できる宅地は、事業用、居住用、貸付事業用のすべてについて建物、構築物等の下にある宅地等が対象となっています。

[貸付事業用宅地等の要件]

貸地
(借地人の家がある)

貸家建付地
(被相続人が貸家を所有)

地面に車を停めている駐車場

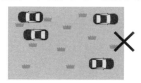

アスファルト敷きの駐車場

したがって、**上に建物や構築物のない土地だけを貸していた場合は小規模宅地等の特例の対象になりません**。例えば、地面にロープを引いただけの駐車場は、土地の上に何もないので小規模宅地等の特例が適用できません。この場合、その駐車場の上に**構築物（砂利、アスファルト、コインパーキング用の設備等）を設置**すれば小規模宅地等の特例が適用できるようになります。

また、特定事業用宅地等と同様に3年以内に新たに貸付事業を始めた場合には適用できません。

なお、取得者の要件としては、貸付事業用宅地等は事業承継要件と保有継続要件の2つだけを満たせば適用ができるので、使い勝手がよい特例です。

■**親族が貸付事業に使っていた土地でも使えることがある**

被相続人と同一生計の親族が上記の貸付事業を行っていた土地が被相続人の所有であった場合、要件を満たせば小規模宅地等の特例が適用できます。この場合も、**同一生計要件の他は事業継続要件と保有継続要件だけが必要**となっています。

貸付事業用宅地等で特例を適用する場合の要件のまとめ

適用できる宅地	適用のための要件
①被相続人が貸付事業を営んでいた宅地	①② ・相続前3年以内事業開始は適用不可 ・その宅地を相続開始から相続税申告期限まで保有
②同一生計親族が貸付事業を営んでいた宅地	①その宅地での被相続人の貸付事業を相続税申告期限までに引き継ぎ、その申告期限まで貸付事業を継続 ②相続開始前から相続税申告期限までその宅地での貸付事業を継続

4-8 被相続人の個人事業または同族会社の事業用宅地で節税

該当すれば限度面積400㎡、減額率80％で多額の節税

■**小規模宅地等の特例（特定事業用宅地等）の要件**

この項で解説するのは、被相続人が個人事業を行っていた建物の敷地に適用できる特例です。

特定事業用宅地では、不動産貸付業、駐車場業、自転車駐車場業は除かれていますので、これら以外の事業が該当します。また、相続開始の前3年以内に新たに始めた事業に利用されていた宅地は、特例の対象外です。

小規模宅地等の特例には、「3年以内の〇〇は対象外」という規定がいくつかあるのですが、これは、**被相続人が亡くなりそうなので、駆け込みで小規模宅地等の要件を満たそうとする節税対策は認めない**という趣旨です。

特例の適用を受けるためには、被相続人の行っていた事業を引き継ぎ、相続税申告期限まで継続している必要があります。これを**事業承継要件**といいます。そして、その宅地を相続税申告期限まで保有していることも必要になります。したがって、相続税申告期限の前に対象の土地を売却した場合は、小規模宅地等の特例の適用ができません。これが**保有継続要件**です。

例えば、被相続人が個人事業で利用していた建物の敷地にこの特例を適用する場合、その土地を取得する相続人がその事業を相続税申告期限前に引き継ぎ、かつ申告期限までその宅地を売却せずにその事業を続けている必要があります。

■同一生計親族が事業に利用していた宅地も適用可能

親族が行っている事業に利用している建物が被相続人の土地の上にあって、その親族が被相続人と**同一生計**であったときも、要件を満たせば小規模宅地等の特例が適用できます。

例えば、被相続人である親の土地を無償で借りた子供が、その借りた土地に店舗を建てて事業を行っているケースなどで、被相続人と生計が同一であれば、その他の要件を満たしたときにこの特例を適用できます。

同一生計として特例の適応を受けるためには別居でもかまわないのですが、**生活するための資金をどちらか一方が援助しているなどの状況にあることが必要**になります。

同一生計親族が事業に利用していた宅地に特例を適用する場合、その親族がその宅地を取得し、生前からその宅地で行っていた事業を引き続き申告期限まで行う必要があります（事業継続要件）。

また、その宅地を相続税申告期限まで保有していることも必要になります（保有継続要件）。

特定事業用宅地で特例を適用する場合の要件のまとめ

適用できる宅地	適用のための要件
①被相続人が事業に利用していた宅地	①②共通 ・相続開始3年以内事業開始は適用不可 ・その宅地を相続申告期限まで保有 ①被相続人の行っていた事業を引き継ぎ、相続税申告期限まで継続
②被相続人と同一生計の相続人が事業に利用していた宅地	②事業をしていた親族がその宅地を取得し、その事業を相続税申告期限まで継続

■特定同族会社事業用宅地等の要件

　被相続人と被相続人の親族が50％を超える株式を保有している会社（特定同族会社）が①被相続人が所有している土地・建物を借りていた場合、②被相続人の土地を有償で借りて会社の建物を建てていた場合に、その土地が**特定同族会社事業用宅地等**に該当します。

　例えば、被相続人とその親族が出資した会社が、被相続人から相当の対価で土地を借り、会社の事務所を建てているケースなどが該当します。

　この特例を受けるためには、宅地を取得する相続人が相続税申告期限にその法人の役員である必要があります（法人役員要件）。併せて、保有要件が定められているので、相続税申告期限までその宅地を保有している必要があります（保有継続要件）。

特定同族会社事業用宅地等で特例を適用する場合の要件のまとめ

適用できる宅地	適用のための要件
特定同族会社の建物、構築物の敷地	・その宅地を取得する相続人が相続税申告期限にその法人の役員であること ・その宅地を相続税申告期限まで保有していること

4-9 生前対策の基本 贈与税のしくみを理解する

贈与税には暦年贈与と相続時精算課税制度がある

■暦年課税のしくみ

　贈与税は、贈与を受けた人（受贈者）が申告・納税する税金で、贈与税の課税方法には**暦年課税**と**相続時精算課税**があります。

　暦年課税では、1月1日から12月31日までの1年間に贈与を受けた財産の金額に応じた贈与税を申告・納税します。贈与税の税額は、贈与を受けた財産の金額から基礎控除110万円を差し引いた金額に税率を掛けて計算します。税率には一般税率と特例税率があり、特例税率は父母・祖父母等の直系尊属から18歳以上の子や孫等への贈与

[贈与税の税率]

一般贈与税率

基礎控除後の課税価額	200万円以下	300万円以下	400万円以下	600万円以下	1,000万円以下	1,500万円以下	3,000万円以下	3,000万円超
税率	10%	15%	20%	30%	40%	45%	50%	55%
控除額	—	10万円	25万円	65万円	125万円	175万円	250万円	400万円

特例贈与税率

基礎控除後の課税価額	200万円以下	400万円以下	600万円以下	1,000万円以下	1,500万円以下	3,000万円以下	4,500万円以下	4,500万円超
税率	10%	15%	20%	30%	40%	45%	50%	55%
控除額	—	10万円	30万円	90万円	190万円	265万円	415万円	640万円

に適用し、一般税率はそれ以外の贈与、例えば、夫婦間贈与、義父母からの贈与のように特例税率に該当しない贈与に適用します。

暦年課税では、1年間に贈与を受けた金額が110万円を超えていれば申告・納税をする必要があります。

例えば、18歳以上の子が令和6年中に父から300万円、母から210万円の贈与を受けた場合、贈与金額合計510万円から110万円を差し引いた400万円が課税対象になります。この場合、特例贈与税率が適用されますので、120ページの表に当てはめて、50万円（400万円×15％－10万円）が贈与税の金額となります。

■相続時精算課税のしくみ

暦年課税は、毎年贈与を受けた金額を申告・納税して完結しますが、**相続時精算課税は毎年贈与を受けた累積金額を贈与した人（贈与者）が亡くなったときに相続財産に加算して精算するという制度**です。

令和5年12月までは贈与を受けた金額の全額を相続財産に加算する必要がありましたが、令和6年1月1日からの贈与については、暦年贈与と同様に毎年基礎控除の110万円までは税金がかからず、相続時の精算も不要になりました。基礎控除を超える部分については、特別控除として累計2,500万円までは贈与税がかかりませんが、2,500万円を超える部分については一律20％の税率で贈与税がかかります。

贈与者に相続が発生したときは、基礎控除を超える部分の累計額を相続財産に加算して相続税額を計算し、納税済みの贈与税額は相続税額から差し引きます。相続財産に加算する金額は原則として贈与時の価額です。例えば、贈与時に時価2,500万円分の株式を贈与して、贈与者の死亡時にその株価が上昇して5,000万円になっていたとしても、2,500万円で相続財産に加算します。逆に、株価が下がって1,000万円になったとしても、2,500万円で相続財産に加算します。

この制度は暦年課税に代えて選択して申告するという制度のため、選択適用するための届出書を税務署に提出する必要があり、届出書を提出していなければ暦年課税が適用されます。一度、相続時精算課税を選択すると暦年課税に戻ることはできません。

　この制度を適用できるのは、原則として60歳以上の父母・祖父母等から18歳以上の子や孫等への贈与に限られます。

　なお、贈与財産が、自宅用の資金であるときには、贈与する父母・祖父母等が60歳未満であっても相続時精算課税が適用できます（令和8年12月31日までの規定。その後、制度が変更される可能性があるので注意が必要）。

■暦年贈与の相続財産への持ち戻し

　毎年贈与を受けた金額について、相続時精算課税ではその全額（令和6年1月1日以降は毎年110万円を超える金額）を贈与者が亡くなったときに相続財産に加算しますが、暦年課税は原則として毎年110万円を超える部分について贈与税を納税して終了です。

　ただし、贈与者の相続が開始したときには、**相続開始したときから7年前までの贈与は相続財産に加算する**必要があります。「**持ち戻し**」といわれている制度です。

　基礎控除の110万円以内の贈与であっても、持ち戻しにより相続財産に加算する必要があります。持ち戻しの期間は、令和5年以前は相続前3年間の贈与であったのが、税制改正で令和6年1月1日の贈与からは相続前7年間となりました。ただし、相続開始の4年前から7年前に受けた贈与については、その4年間に受けた贈与の金額の合計額から100万円を差し引いた金額が相続税に加算されます。従来の3年の持ち戻しから7年の持ち戻しになるまで毎年段階的に延長し、令和13年1月1日からの贈与については7年の持ち戻しとなります。

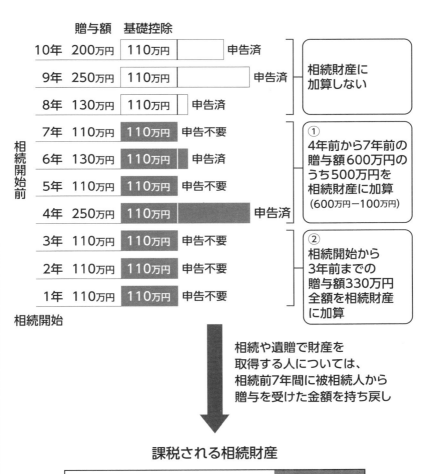

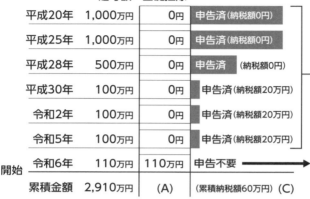

4-10
不動産贈与での贈与税非課税の特例

贈与税も相続税も節税して不動産を贈与する

■贈与税の非課税の特例

受贈者には、暦年課税か相続時精算課税により贈与税がかかるのが原則ですが、贈与税にもいくつかの特例があり、贈与税が非課税となります。

不動産関連での特例には、直系尊属から**住宅取得等資金の贈与**を受けた場合の非課税と夫婦間で居住用の不動産を贈与したときの**配偶者控除**があります。どちらも暦年課税の基礎控除110万円と併用することができます。

■直系尊属からの住宅取得等資金の贈与の非課税

住宅取得等資金の贈与の特例は、両親や祖父母から子や孫に対する贈与に適用でき、非課税限度額は、省エネ等住宅（一定の基準を満たした省エネ住宅、耐震住宅、バリアフリー住宅）の場合は1,000万円、それ以外の住宅の場合は500万円までとなっています（令和8年12月31日までの規定。その後、非課税限度額、適用対象となる住宅について変更される可能性があるので注意が必要）。

主な要件は次のとおりです。
・父母・祖父母などから、子や孫への贈与であること
・子や孫は18歳以上であること
・贈与を受けた年の合計所得金額が2,000万円以下であること
・贈与を受けた年の翌年3月15日までに住宅取得等資金の全額を充

てて住宅用の家屋の新築等をすること
・贈与を受けた年の翌年3月15日までにその家屋に居住すること

■直系尊属からの住宅取得等資金の贈与の非課税の使い方

　この特例は、非課税限度額が1,000万円または500万円までで、贈与を受けた金額のすべてを贈与を受けた子や孫の居住用不動産の購入に充てる必要があります。

　この特例で贈与税を節税し、さらに残額について銀行等からの借入をすることで、住宅ローン減税で所得税を節税することもできます。住宅ローン減税とは、住宅ローンによって住宅を取得した人が所得税の優遇を受けられる制度です。

　また、直系尊属からの住宅取得等資金の贈与の非課税制度は相続時精算課税制度との併用も可能ですので、この特例の1,000万円、相続時精算課税の2,500万円＋基礎控除110万円で、最大3,610万円まで贈与税がかからずに（2,500万円は相続時に精算）、贈与を受けることができます。

　ただし基礎控除110万円については122ページの暦年贈与の相続財産への持ち戻しの対象となります。

■夫婦間で居住用の不動産を贈与したときの配偶者控除

　この特例は、婚姻期間が20年以上の夫婦の間に適用される特例のため、「**おしどり贈与**」とも呼ばれています。贈与の対象は、居住用不動産または居住用不動産を取得するための金銭で、最高2,000万円まで控除できるという特例です。

　この特例は同じ配偶者からの贈与について一度しか適用できません。

　主な要件は次のとおりです。
・贈与のときに夫婦の婚姻期間が20年を過ぎていること

・贈与される財産が、居住用不動産または居住用不動産を取得するための金銭であること
・贈与を受けた年の翌年3月15日までに、贈与された不動産または贈与を受けた金銭で取得した不動産に受贈者が住んでいること

■「おしどり贈与」の使い方

　おしどり贈与は、贈与税がかからずに最高2,000万円までは配偶者に居住用財産またはそのための資金を贈与でき、相続財産全体を減らすことができるため相続税対策としては有効です。

　おしどり贈与を使って自宅を配偶者との共有にしておけば、将来、その自宅を売却したときにかかる譲渡所得について、マイホーム3,000万円控除（176ページ）を2人で適用できることになるというメリットもあります。

　一方で、贈与を受けた配偶者が先に亡くなるということもあり、その場合に贈与した配偶者が相続することになるのであれば、何のために贈与したのかがわからなくなってしまいます。

　不動産での贈与の場合は、贈与税がかからないといっても、登記費用がかかりますので、十分に検討することが必要です。

［不動産贈与での贈与税非課税の特例の使い方と留意点］

(1) 直系尊属からの住宅取得等資金の贈与の非課税を使う

使い方

- 非課税限度額が1,000万円または500万円までで、贈与を受けた金額のすべてを贈与を受けた子や孫の居住用不動産の購入に充てる

- この特例で贈与税を節税し、さらに残額について銀行等からの借入をすることで、住宅ローン減税で所得税の節税もできる

- 相続時精算課税制度との併用も可能。この特例の1,000万円、相続時精算課税の2,500万円＋基礎控除110万円で、最大3,610万円まで贈与税がかからずに贈与を受けることができる

留意点

- 相続時精算課税制度との併用では、相続時精算課税対象金額は相続時に精算

(2)「おしどり贈与」を使う

使い方

- 贈与税がかからずに最高2,000万円までは配偶者に居住用財産またはそのための資金を贈与でき、相続財産全体を減らすことができる

- 自宅を配偶者との共有にしておけば、将来、その自宅を売却したときにかかる譲渡所得について、マイホーム3,000万円控除（176ページ）を2人で適用できる

留意点

- 贈与を受けた配偶者が先に亡くなり、贈与した配偶者が相続することになれば、何のために贈与したのかがわからなくなってしまう

- 不動産での贈与の場合は、登記費用がかかる

4-11 贈与税の特例を使わずに建物を贈与する

すでに所有している建物を贈与して節税する

■**収益物件を贈与する場合には建物を贈与する**

　直系尊属からの住宅取得等資金の贈与の非課税の特例は、1,000万円または500万円を限度とし自宅の購入資金の贈与に限られています。そのため、例えば、賃貸アパートのような自宅以外の不動産を贈与する場合には適用できません。

　親が築浅の賃貸物件を所有している場合は、それを子に贈与するという方法も有効です。建物を贈与した場合の評価額は固定資産税評価額となります。新築住宅の固定資産税評価額は、取得金額の6割から7割といわれていますので、**親が現金を贈与して子が住宅を建築するよりも、親が所有している建物を子に贈与する方が贈与税の対象となる金額が低くなります。**

　例えば、親が所有している時価4,000万円の建物を子に贈与した場合、仮に固定資産税評価額が時価の60％だとすれば評価額は2,400万円になります。これを、相続時精算課税で申告すると2,500万円以下ですので贈与税はかかりません。評価額が2,500万円を超えたとしても、税率は一律20％で、支払った贈与税は相続時に相続税額から控除できます。

　つまり、納税を相続時まで繰り延べられるということになります。賃貸アパートのような収益物件の贈与をすれば、納税が繰り延べられている間、子は家賃収入を受け取ることができますので円滑な財産移転が可能となります。

　さらに、相続時精算課税は将来の相続発生時に贈与時の価格で相続

［相続時精算課税を利用して不動産を贈与する生前対策の例］

建築費5,000万円のアパートを相続時精算課税で贈与し、
20年後に相続開始となったケース

対策例

① 時価5,000万円の築2年のアパート（部屋数6室）を子に贈与
② アパート評価額3,000万円で相続時精算課税申告（納税額78万円）
③ 子は、毎月48万円（6室×8万円）の家賃を受け取り
④ 20年後に贈与者（親）の相続開始
⑤ 相続財産は、相続時精算課税財産の他2億円で納税額4,162万円
⑥ 子は相続時精算課税で贈与を受けたアパートの家賃が20年間で1億1,520万円

相続時精算課税を利用して生前贈与 ――― 20年 ――→ 相続開始

時価　5,000万円

贈与税の計算

評価額	3,000万円（建築費の6割と仮定）
控除額	▲2,610万円（相続時精算課税の非課税2,500万円＋基礎控除110万円）
課税対象	390万円
税率	20%
贈与税額	78万円

贈与した貸家の家賃収入
月48万円と仮定

相続税の計算

その他の財産	2億円
相続時精算課税財産	3,000万円
課税価格の合計金額	2億3,000万円
基礎控除（相続人2名）	▲4,200万円
課税遺産総額	1億8,800万円
相続税額	4,240万円
納付済贈与税額	▲78万円
差引納付相続税額	4,162万円
累積家賃収入	1億1,520万円

固定資産税、所得税、修繕費、空き室リスクを考慮しても贈与した財産の収益だけで相続税の納税が可能

財産に加算するので、建物の価値は下がっているのに高い評価額で相続財産に加算されることにはなりますが、贈与から相続までの期間が長ければ評価額の下落よりも家賃収入の方が多くなると想定されます。

贈与する建物に賃貸人が入居してから贈与すれば、借家権の30％が減額できますのでさらに評価額は減額されます。

■不動産を贈与する際に知っておきたい事項

(1) 贈与税以外の費用を考慮する

不動産を贈与する場合には次のような贈与税以外の費用を考慮する必要があります。

・不動産取得税

相続で取得する不動産は原則として非課税ですが、贈与により取得する場合には課税されます。

・登録免許税

不動産の移転登記にかかる税金で、相続の場合は0.4％ですが、贈与の場合は2％の税率で課税されます。

・専門家費用

登記、贈与税申告を専門家に依頼する場合、司法書士、税理士への報酬が必要になります。

(2) 土地を相続時精算課税で贈与する場合

土地を相続時精算課税で贈与したときは、小規模宅地等の特例が適用できません。すでに贈与を受けて子の所有になっているので小規模宅地等の特例を適用できないのは当然なのですが、相続財産に加算するため小規模宅地等の適用を受けられると誤解しやすいので注意してください。

(3) 建物を相続時精算課税で贈与する場合

相続時精算課税では、相続時に相続財産に加算する金額は贈与時の時価です。令和5年以前の贈与では、災害により滅失した場合であっても贈与時の時価で相続財産に加算することとされています。

　令和6年以降の贈与では、贈与を受けた日から贈与者の相続開始までに災害により相当の被害を受けた場合は、一定の損害を受けた部分の金額を減額することができるようになりました。それでも、建物価値が減少した場合のすべてにおいて減額できるわけではありません。

(4) その他

　相続時精算課税を選択した場合は、それ以後、同じ贈与者からの贈与については、暦年課税での申告ができなくなります。

　また、必ずしも贈与した親が先に亡くなるとも限らず、予定どおりにいかないケースもあります。

4-12 相続開始後にしないほうがよい2つのこと

不必要な土地の実測や特定路線価の申請をすると相続税が増える

■不必要な土地の実測をしない

　相続した土地を実測してみると、実際の面積が登記簿上の面積より大きいということがよくあります。これを「**縄伸び**」といいます。

　江戸時代の年貢は、その土地が縄何本分かということで測った面積によって決定されるのですが、少しでも年貢を少なくしたいため、縄をできるだけ長く伸ばして、10本分のところを9本だということで申告するということがよく行われていたようです。これが縄伸びの起源です。逆に登記されている面積より実際の面積が小さいことを「**縄縮み**」といいます（54ページ参照）。縄伸びと縄縮みでは圧倒的に縄伸びが多く見受けられます。

　相続税申告後に土地を売却するために測量したところ縄伸びしていたということが判明するケースが多くあります。この場合、相続税申告では土地評価額が縄伸びの部分だけ過少となっているため、相続税の修正申告が必要になります。土地の面積は実際の面積で評価することとされていますが、相続税申告の際には実測を求められているわけではありませんので、縄伸びしていることが明らかな場合以外は、実測をしないほうがよいかもしれません。

■特定路線価を申請しない

　路線価地域では、原則として、路線価を用いて土地の相続税評価を算出するのですが、路線価が付されていない道路も存在します。相続した土地に接している道路に路線価が付されていない場合、税務署に

「**特定路線価**」の申請を行い、路線価を設定することができます。この特定路線価を申請した場合、いちばん近い路線価かそれより10％程度低い路線価を付されることが大半です。特定路線価が設定された場合は、特定路線価を用いて評価する必要がありますが、**路線価が10％減額になるよりも路線価が付された道路に面していないまま評価するほうが不整形補正率が高くなり、評価額を下げることが可能となる場合が多くあります。**

　ただし、特定路線価を使用しない場合の評価額があまりに低くなる場合は税務署に否認される可能性もあるため、そのような土地については土地評価に詳しい税理士に相談するとよいでしょう。

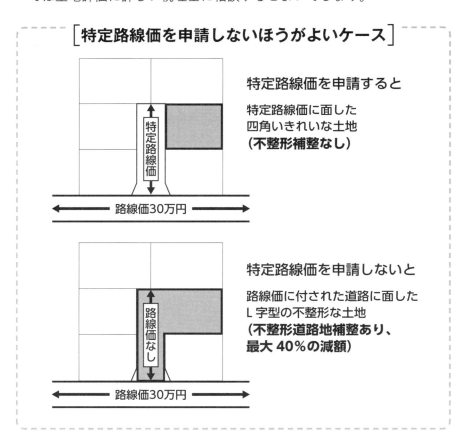

[特定路線価を申請しないほうがよいケース]

特定路線価を申請すると

特定路線価に面した
四角いきれいな土地
（不整形補整なし）

特定路線価を申請しないと

路線価に付された道路に面した
L字型の不整形な土地
**（不整形道路地補整あり、
最大40％の減額）**

4-13 不動産を活用した「相続税対策」のリスク

リスクを理解して相続税対策をする

■自分で考えて行動することが大切

「『相続税対策』のため、とすすめられ賃貸物件を建築したが、結果として入居率が低く、固定資産税、維持費で赤字が続いている」というケースを耳にします。不動産が相続税対策に有効であることは間違いないのですが、先の見通しもなく不動産を購入し、結果として財産を減らすだけの行為は本当の相続税対策とはいえません。

本来の**相続税対策は、長期的な視点に立って考え、税制や社会状況の変化に応じて軌道修正していくもの**です。

相続税対策の基本は贈与と不動産の活用ですが、ご自身の年齢、相続財産の金額、構成、推定相続人の数、ご自身の環境、これらを考慮して相続税対策を考えることが大切です。

■制度改正のリスク

相続税は、多くの節税策が出ては税制改正が行われて過度の節税が抑止されてきました。令和6年1月からは、近年人気となっていた**タワマン節税**も抑止されることとなりました。タワマン節税では、タワーマンションの売買時価と相続税評価額とに大きな差がつきやすいことを利用しています。

マンションの時価は建物の総階数、所在階、築年数が重要な要素ですが、相続税評価では、建物の評価額について固定資産税評価額を採用しているためこれらを十分に反映できていませんでした。

また、相続税評価では、マンションの敷地利用権を共有持分で按分

した面積に1㎡あたりの単価（㎡単価）を掛けて計算するため、マンションが高層になり戸数が増えるほど評価対象の土地が細分化されるため、相続税評価額は、時価に比べて低くなります。

　このようにマンションの相続税評価額が時価と開きがありすぎることを是正するため、マンションの相続税評価については令和6年1月1日から修正されることとなりました。

　このような制度改正のリスクも考慮しつつ節税対策を行っていくことが重要です。

COLUMN

遺産分割の注意点「土地の共有」にはリスクがある
〜使い道のない土地にならないために知っておきたいこと〜

共有持分はだんだん複雑になる

遺言や遺産分割で土地を複数の相続人で共有名義にするケースが時々ありますが、あまりおすすめしません。例えば、家を建てようと土地を探していたら、ずいぶん安い土地があったとします。その土地は、見ず知らずのAさんが所有権を1/2持っていて、売り出されているのは残りの共有分の1/2だったとしたら買いたいと思うでしょうか。共有持分を持つということはこの例の売主になるということです。

亡くなった父の土地を、兄弟で1/2ずつの共有で相続した場合、一人の意思では売れないので、兄弟の土地はいずれその子供たちが相続することになる可能性が高いです。そして子の相続の次は孫へと続き、世代を経れば経るほど共有者が増え複雑になっていきます。複数人で共有の土地は、売却したり、建物を建てて有効活用したりするのがむずかしいので、早めに共有状態を解消することをおすすめします。

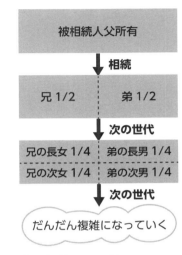

共有で相続するのが得な場合もある

一方、自宅を相続し、3年以内に売却する予定で、その売却が空き家の特例の要件を満たす場合（174ページ）には、取得者ごとに特例の適用ができ、各共有者が譲渡所得から3,000万円の控除ができます。そのため、譲渡所得の節税になります。

なお、譲渡が令和6年1月1日以後で相続人の数が3人以上である場合は、一人当たりの控除額は2,000万円になります。

COLUMN

封じられた"タワマン節税"
~今後はどう活用する？~

タワマン節税とは

　タワーマンションは、相続税評価額と時価に大きな開きがあることから、「タワマン節税」と呼ばれ相続税対策に利用されてきました。国税庁は、これを封じるため、令和6年1月1日からの相続等に対するマンションの評価方法を改正しました。

　マンションの市場価格は、建物の総階数、マンション一室の所在階、築年数等によって形成されますが、相続等で取得したマンションの建物（区分所有建物）は、一律に固定資産税評価額で評価していましたので、高額な高層階ほど節税効果が高くなっていました。

　また、その敷地（敷地利用権）については、一律に路線価×敷地全体面積×持分割合で計算していましたので、マンションが高層になるほど細分化され狭小となるため評価額は低くなっていました。

評価は実勢価格の最低でも6割に

　国税庁が令和5年6月30日に公表した「マンションに係る財産評価基本通達に関する有識者会議について」によると、現状はマンションの約65％の相続税評価額が市場価格の半額以下になっているとのことでした。

　この公表資料では、相続税評価額と市場価格の差を乖離率という数値で表しています。乖離率とは、市場価格が相続税評価額の何倍になっているかという指標で、マンションは平均2.34倍（相続税評価額が市場価格の42.7％）なのに対して一戸建ては1.66倍（相続税評価額が市場価格の60％）となっています。

　そこで、一戸建てとのバランスも考慮して、相続税評価額が市場価格理論値の60％未満となっているもの（乖離率が1.67倍を超えるもの）については、市場価格理論値の60％（乖離率が1.67倍）になるように評価額を補正することとされました。

日本全体の4分の3以上のマンションが増税対象に

　この公表資料によると、76.4％

が乖離率1.75以上（平成30年）となっていますので、全国で4分の3以上のマンションは相続税の評価額が高くなります。

下の図は、乖離率の計算式と新たな相続税評価額の計算方法を示したものです。図で示したとおり、令和6年からの相続評価額は令和5年以前の評価額に比べ約2倍となりました。しかし、それでも相続税評価額は市場価格より低い現状は変わらないので、使い方によってはこれからも相続税対策の選択肢のひとつといえます。

1.67倍を超える乖離率が算出された場合は、相続、特に土地やマンションなどの評価に詳しい税理士に対応を相談することをおすすめします。

［評価方法改定による評価額への影響例］

マンションの状況

築年数	総階数	所在階	専有部分の面積	敷地の面積	敷地権の割合	乖離率
15年	38階	30階	65㎡	4,500㎡	$\frac{7000}{2,600,000}$	1.968

評価額の比較

令和5年 1,300万円 × 乖離率 1.968 = 令和6年 2,558万円

COLUMN

区分所有オフィスで相続税対策!
～節税するなら区分所有オフィスを活用しましょう～

タワマン節税が封じられた今、区分所有オフィスで節税効果が期待できる?

タワーマンションを用いた節税は、改正により効果が低くなってしまいましたが、区分所有オフィスを活用することで、今までどおりに節税を行うことが可能となります。

区分所有オフィスとは?

区分所有オフィスとは、建物を区画し部屋ごとに所有者が登記して区分所有するオフィスのことを指します。投資目的として一棟のオフィスビル内の特定のフロアや部屋を所有することで、一棟を丸ごと所有するよりも費用を抑えつつ安定的な収益を見込むことが可能です。

そんな区分所有オフィスは、今回の税制改正の適用範囲外であることから相続税申告時には改正前の評価方法で申告書に計上できるため、相続税対策として非常に有効です。

なお、現在は税制改正を免れている区分所有オフィスですが、いつ評価方法の改正の対象となるかはわかりません。区分所有オフィスで節税対策を考えている方は、相続、特に土地やマンションなどの評価に詳しい税理士に対応を相談することをおすすめします。

なお、ボルテックスからお金をもらっていませんが、区分所有オフィスに関してボルテックスは有名です。

第 5 章

相続発生時でも まだ間に合う 不動産での 節税ポイント

相続税の節税には生前からの対策が必要、と考えがちだが、相続発生後にしっかり活用すれば節税につながる特例もある。そんな特例などを用いた節税策を紹介する。

主な内容
- 土地の遺産分割による節税策
- 小規模宅地等の特例を用いた節税策
- 二次相続を見通した節税策
- 配偶者居住権を活用する節税策

5-1 相続発生時でもまだ間に合う不動産での節税

相続が発生してから可能な節税策を知る

■相続開始後のシミュレーションが重要

　相続税の節税のためには生前対策が重要ですが、実際に相続が発生してみないとわからないこともあります。相続が発生してからでもできる節税、特に、小規模宅地等の特例の適用や二次相続を踏まえた節税は、相続後にシミュレーションを行うことによって最善策を検討することが重要です。

　ここでは、相続が開始してからでも間に合う相続税の節税について見ていきます。

■土地の遺産分割で節税

　土地にはそれぞれ評価単位があります（26ページ）。原則として取得者（誰が相続したか）ごと、地目ごとに評価しますので、遺産分割後の土地を評価単位として評価します。

　右図の例1は、形のきれいな宅地が相続財産であったときに、長男と次男が取得し分筆をした結果、次男の宅地が旗竿地となった様子です。このようなケースでは、次男の土地は不整形の程度にもよりますが、最大40％の減額が可能になります。

　右図の例2は、角地で2本の道路に接している土地を相続したケースです。角地の土地は、側方路線価の3％（地区区分が普通住宅地区の場合）を正面路線価に加算して評価額を算定します。

　例2の土地は地区区分が普通住宅地ですから、正面路線価40万円に9,000円（側方路線価30万円×3％）を加算した金額に200㎡を

[土地の分割例]

例1

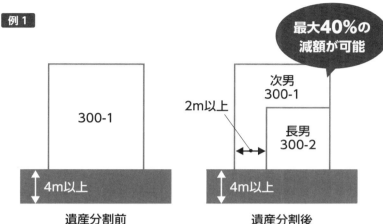

相続で長男と次男が取得
次男の土地が旗竿地となる

例2 （地区区分：普通住宅地区）

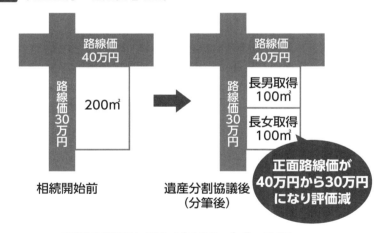

相続で長男と長女が100㎡ずつ取得
長女の土地の正面路線価が40万円から30万円になる

掛けた金額が相続税評価額になります。

　しかし、遺産分割により長男と長女が100㎡ずつ取得すれば、長女の取得した土地は、正面路線価が30万円となるため、この土地全体の評価額は減少します。

[例2の遺産分割による評価額の減額]

遺産分割前の評価額

8,180万円

（409,000円注1 × 200㎡）

注1
　正面路線価　　400,000円
　側方影響加算　　9,000円※
　　　　　　　　409,000円

※側方影響加算＝300,000円×3%

遺産分割後の評価額

7,090万円

長男が取得した土地の評価額
409,000円×100㎡＝40,900,000円

長女が取得した土地の評価額
300,000円×100㎡＝30,000,000円

1,090万円の減額

■不合理な分割は認められない

このように、遺産分割によって土地を分割することで土地の評価額を下げることは可能ですが、相続した相続人の適正な土地利用が前提です。

相続税評価額を下げることだけを目的に分割して、通常の土地利用ができないようであれば、分割後の土地で評価することは**不合理分割**として認められず、分割前の画地で評価することになります。

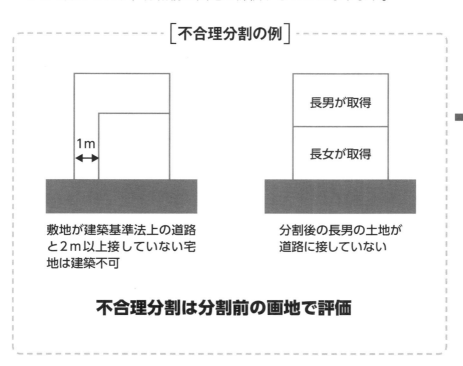

[不合理分割の例]

敷地が建築基準法上の道路と2m以上接していない宅地は建築不可

分割後の長男の土地が道路に接していない

不合理分割は分割前の画地で評価

5-2 小規模宅地等の特例を効果的に使うポイント1

小規模宅地等の特例は、誰がどの土地を取得するかが重要

■小規模宅地等の特例は相続開始後が重要な理由

　小規模宅地等の特例は適用するための要件が決まっています。その要件を満たすために生前対策をしていても、相続開始時には、さまざまな事情で予定どおりにならないこともありますし、特例を適用できる不動産が複数あるときは、どの不動産に適用するのがよいかというのも相続が開始してからでないとわからないことがあります。

　そこで、**小規模宅地等の特例の適用検討は、要件が確定した相続開始後に検討することが重要**になります。

■小規模宅地等の特例をどの土地に適用するかを検討する

　居住用宅地等は限度面積が330㎡で80％の減額ができます。一方、貸付事業用宅地等は限度面積が200㎡まで50％の減額が可能です。これだけ見ると居住用宅地等に適用するほうが減額できる金額が大きいように思えるのですが、例えば、居住用宅地等が適用できる330㎡（1㎡当たり16万円）の被相続人の自宅の敷地と貸付事業用宅地等が適用できる200㎡（1㎡当たり50万円）の貸駐車場がある場合、被相続人の自宅の敷地は4,224万円の減額、貸駐車場は5,000万円の減額になります。この場合、貸駐車場に小規模宅地等の特例を適用するほうが有利となります。

　このように、いくら減額になるかを確認して特例を適用する宅地を決定しましょう。

[適用は減額金額を比較して判断]

区分	1㎡の単位	減額できる面積	減額率	減額となる金額
被相続人の自宅の敷地	16万円	330㎡	80%	4,224万円
被相続人の貸家の敷地	50万円	200㎡	50%	5,000万円

減額金額を比較

■配偶者に対する相続税額の軽減との兼ね合いを考える

　相続税の税額計算をする際に最も節税効果が高いのが、小規模宅地等の特例と配偶者に対する相続税額の軽減です。

　配偶者に対する相続税額の軽減とは、配偶者が取得した財産の内1億6,000万円か配偶者の法定相続分相当額のどちらか大きい金額までは相続税がかからないという制度です。ここで、「配偶者は1億6,000万円までは相続財産を取得しても相続税がかからないのだから、小規模宅地等の特例が適用できる宅地を配偶者が取得すると小規模宅地等の特例の節税効果がまったくないのではないか？」という疑問が生じるのですが、節税効果は薄れるもののまったくなくなるというわけではありません。

　相続財産が、被相続人の自宅の土地（300㎡）9,000万円（小規模宅地等の特例適用後1,800万円）、被相続人の自宅の建物2,000万円、預金4,000万円で、相続人が配偶者、長男のケースで、被相続人の自宅の土地・建物を配偶者が取得した場合と長男が取得した場合を見てみます。預金は1/2ずつの取得とします。

　次ページ図の②と④の場合の相続税額を比較すると、132万円もの差が生じます。

[小規模宅地等の特例と納税額]

小規模宅地等の特例を適用しない場合の納税額

相続財産		相続人 A	B	合計
自宅	土地	9,000万円	—	9,000万円
	家屋	2,000万円		2,000万円
預金		2,000万円	2,000万円	4,000万円
取得財産計		1億3,000万円	2,000万円	1億5,000万円
相続税額		1,595万円	245万円	1,840万円

① A が長男、B が配偶者の場合の納税額
1,595 万円 + 245 万円 − 配偶者控除 245 万円 = **1,595 万円**

② A が配偶者、B が長男の場合の納税額
1,595 万円 − 配偶者控除 1,595 万円 + 245 万円 = **245 万円**

小規模宅地等の特例を適用した場合の納税額

相続財産		相続人 A	B	合計
自宅	土地	1,800万円	—	1,800万円
	家屋	2,000万円		2,000万円
預金		2,000万円	2,000万円	4,000万円
取得財産計		5,800万円	2,000万円	7,800万円
相続税額		327万円	113万円	440万円

③ A が長男、B が配偶者の場合の納税額

> 長男が取得した場合の節税効果**1,268万円**(①−③)

327 万円 + 113 万円 − 配偶者控除 113 万円 = **327 万円**

④ A が配偶者、B が長男の場合の納税額

> 配偶者が取得した場合の節税効果**132万円**(②−④)
> (配偶者が取得しても特例による節税効果はゼロではない)

327 万円 − 配偶者控除 327 万円 + 113 万円 = **113 万円**

5-3 小規模宅地等の特例を効果的に使うポイント2

とても重要な「遺産分割協議」と「相続人全員の同意」

■小規模宅地等の特例に最も重要な遺産分割協議

　小規模宅地等の特例で減額の適用を受けるためには、対象の土地を取得する相続人が決まっている必要があります。つまり、遺産分割協議がまとまっていなければなりません。相続税申告期限までに遺産分割協議がまとまっていない場合（これを「**未分割**」といいます）には、未分割のまま申告と納税をします。この場合、小規模宅地等の特例や配偶者に対する相続税額の軽減の特例などが適用できません。

　ただし、一定の手続きを行えば後日、遺産分割協議がまとまったときに「**更正の請求**」という手続きによってこれらの特例を適用して相続税還付を受けることも可能です。

　小規模宅地等の特例の適用を受けるために最も重要なことは、遺産分割協議をまとめるということなのです。小規模宅地等の特例が適用できなければ、後日還付される可能性があるとはいえ、申告期限までに多額の納税資金を準備しなければならないことにもなりかねません。

　なお、遺言書に基づいて遺産分割を行う場合には遺産分割協議の必要はありません。

■特例適用可能な土地が複数の場合は適用する土地を検討する

　小規模宅地等の特例を適用できる可能性のある宅地が複数ある場合、取得者間での調整が必要になります。

　ここでは、相続人が長女と次女の2名で、不動産と金融資産を取得したケース（次ページ表）を例に見てみます。

取得者	長女	次女	合計
取得土地	被相続人の自宅	貸駐車場	—
面積/㎡単価	330㎡/16万円	200㎡/50万円	530㎡/—
土地の評価額	5,280万円	1億円	1億5,280万円
金融資産額	2,000万円	1,000万円	3,000万円
課税財産額	7,280万円	1億1,000万円	1億8,280万円
相続税額	約1,125万円	約1,699万円	約2,824万円

　どちらの土地も小規模宅地等の特例を適用できる場合、単価の高い次女が取得した貸駐車場200㎡に適用するほうが合計納税額を最小化できます。

貸駐車場に小規模宅地等の特例を適用したときの納税額			
取得者	長女	次女	合計
特例による減額	—	▲5,000万円	▲5,000万円
課税財産額	7,280万円	6,000万円	1億3,280万円
相続税額	約776万円	約640万円	約1,416万円

約**1,408**万円の節税

　なお、長女が取得した被相続人の自宅330㎡に小規模宅地等の特例を適用した場合の納税額は次のようになります。

被相続人の自宅に小規模宅地等の特例を適用したときの納税額			
取得者	長女	次女	合計
特例による減額	▲4,224万円	—	▲4,224万円
課税財産額	3,056万円	1億1,000万円	1億4,056万円
相続税額	約341万円	約1,230万円	約1,571万円

約**1,253**万円の節税

前ページの表のとおり、次女が取得した単価の高い貸駐車場に小規模宅地等の特例を適用すれば全体の相続税額は最小化できますが、長女にとっては、被相続人の自宅に小規模宅地等の特例を適用するほうが自分の相続税額を最小化できます。

　小規模宅地等の特例は、限度面積の範囲内であれば、複数の土地に適用することができますので、小規模宅地等の適用ができる土地を取得した全員が同意できる内容で適用することが大事になります。

　土地の取得者間でのバランスを考慮するときに、減額される金額、適用面積などで調整することが考えられますが、先の例について、長女と次女が同じ面積で小規模宅地等の特例を適用した場合の納税額をみてみます。

　被相続人の自宅は330㎡まで、貸駐車場は200㎡まで小規模宅地等の特例が適用できますので、この2つを同じ面積で適用する場合、124.528㎡が適用可能面積となります（124.528 × 200 ／ 330 + 124.528 = 199.999）。

土地の面積で取得者間のバランスを考慮した場合の納税額			
取得者	長女	次女	合計
小規模宅地等の特例適用面積	124.528㎡	124.528㎡	249.056㎡
特例による減額	▲1,594万円	▲3,113万円	▲4,707万円
課税財産額	5,686万円	7,887万円	1億3,573万円
相続税額	約618万円	約857万円	約1,475万円

約 **1,349** 万円の節税

　この分け方は一例です。小規模宅地等の特例が適用できる土地が複数ある場合には、自由に適用面積を分け合うことができますので、遺産分割協議と併せて、小規模宅地等の特例の適用についても話し合ってください。

■特例適用可能な土地が複数ある場合は全員の同意が必要

　小規模宅地等の特例を適用できる可能性のある宅地が複数あり、その複数の土地に小規模宅地等の特例を適用する場合には、その土地を取得した相続人全員の同意が必要になります。相続人3人が小規模宅地等の特例を適用できる可能性がある土地を取得した場合、その内の2名だけが小規模宅地等の特例を適用した場合であっても、相続人3人の同意が必要になります。

　具体的には、相続税申告書に添付する「小規模宅地等についての課税価格の計算明細書」に「特例の適用にあたっての同意」欄がありますので、ここに同意した3名の氏名を記載する必要があります。

［特例の適用にあたっての同意欄］

5-4
二次相続でも小規模宅地等の特例を適用する
有効な制度を最大限に利用する方法

■配偶者控除との兼ね合いで考える

　小規模宅地等の特例を有効に適用するためには、「二次相続※」も視野に入れることが大切です。

　夫婦どちらかが亡くなった場合、自宅を共にずっと暮らしてきた配偶者が相続し、小規模宅地等の特例を適用するケースが多くあります。

　被相続人とその自宅で暮らしてきたわけですから、配偶者が相続して当然だろうと感じられる方も多くいらっしゃるでしょう。

　しかし、ここで思い出してほしいのは、そもそも配偶者には「配偶者の税額軽減の特例」（いわゆる配偶者控除）があります。この特例は、1億6,000万円もしくは配偶者の法定相続分相当額のどちらか多いほうまでが非課税となるものです。

　配偶者の税額軽減の特例があるため、**わざわざ小規模宅地等の特例を適用しなくとも、配偶者には相続税が課税されない場合が多く**あります。

　そのような場合、もし、被相続人の実子が同居をしているなど条件を満たし、小規模宅地等の特例を適用できるのであれば、実子が土地を相続し特例を適用したほうが、相続税の節税につながります。

　例えば、660㎡ある自宅の土地を相続する場合を考えてみましょう。

※二次相続：一般的に夫が先に亡くなり、後で妻が亡くなるというケースが多くみられますが、夫が亡くなったときを一次相続、妻が亡くなったときを二次相続と呼びます。

■特例の条件を確認しておく

　図表（155・157・158ページ）の一次相続をご覧ください。実子である子と母親で二分し、子の相続した330㎡の土地に小規模宅地等の特例を適用します。同じ図表の二次相続をご覧ください。その後、母親が亡くなった際に、母親の所有している330㎡の自宅の土地を子が相続し、再び小規模宅地等の特例を適用します。

　一次相続と二次相続を通して、子は計2回、小規模宅地等の特例を適用することになり、2回の相続を通して相続税額を大きく軽減することができます。

　ただし、実子が同居していない場合や、配偶者しか小規模宅地等の特例を適用できない場合もありますので、小規模宅地等の特例の条件に当てはまるかどうかはきちんと確認しておきましょう。

■一次相続の仕方で納税額が変わる

　具体例の参考として、相続税の試算表を掲載しましたので、158ページの図をご覧ください。

　一次相続で母が自宅敷地を全部相続した場合と、一次相続で母と子が自宅敷地を半分ずつ相続した場合（一次および二次相続で子が小規模宅地等の特例を利用）の、全体の相続税額の比較を行いました。前提として、被相続人の財産は以下の通りとします。

自宅敷地：660㎡（相続税評価額2億円）
預金・2億円（母が1億円、子が1億円を相続）

　改めて同じく図表をご覧ください。父からの相続時に母が一人で自宅敷地を相続する場合を①、その母からの二次相続を②としました。父からの相続時に母と子が2分の1ずつ相続する場合を③、その場合の母からの二次相続を④としました。

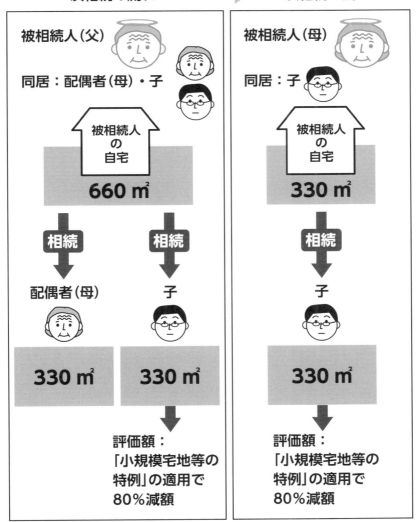

◆【一次相続で土地を母親がすべて相続する場合】

　158ページの図表にある①では、母がすべて自宅敷地を相続しており、660㎡のうち330㎡に小規模宅地等の特例を適用し、1億円の8割減である2,000万円と残り1億円を足して、土地の評価額1億2,000万円となっています。この場合、母からの二次相続時（②）では、そのまま土地660㎡が子に相続されるため、母が相続したときと同様に、面積660㎡、評価額1億2,000万円の土地を相続することになります。

◆【一次相続で土地を母と子が2分の1ずつ相続する場合】

　次に母と子が自宅敷地を2分の1ずつ相続する場合ですが、父からの相続時（③）に子が土地660㎡のうち330㎡を相続し、小規模宅地等の特例を適用することで土地の評価額は、1億2,000万円となります。しかし、母からの二次相続の際（④）に、一次相続で自分が相続しなかった、残りの330㎡の土地を取得すれば、土地すべてに再び小規模宅地の特例を適用できるため、土地の評価額はたった2,000万円となります。

■子が小規模宅地等の特例を2回使うことの効果

　このことから、全体の相続税額も大きく下がり、母がすべて自宅敷地を相続した場合の二次相続（②）と、母と子が自宅敷地を2分の1ずつ相続する場合の二次相続（④）の相続税額を比較すると、3,840万円もの差がついています。二次相続を視野に入れ、子が小規模宅地等の特例を2回使うことで、結果的に相続税の節税につながることがわかります。税理士のなかには、小規模宅地等の特例を「2回」適用できれば誰に適用しても節税効果は十分にあると考えている方もいるので、注意が必要です。

[ケース別での一次・二次相続の比較 その1]

父 死亡
評価額：2億円　660㎡
預金：2億円

一次相続

（母が660㎡を相続）

配偶者（母） 660㎡
- 330㎡ 特例適用なし 1億円
- 330㎡ 小規模宅地等の特例（80%減=8,000万円減）2,000万円
- 1億円（預金）

土地評価額 計1億2,000万円

（子が330㎡を相続）

配偶者（母）　（子）
- 330㎡ 特例適用なし 1億円
- 330㎡ 小規模宅地等の特例（80%減=8,000万円減）2,000万円
- 1億円（預金）、1億円（預金）

土地評価額 計1億2,000万円

二次相続（母死亡）

（子）660㎡
- 330㎡ 特例適用なし 1億円
- 330㎡ 小規模宅地等の特例（80%減=8,000万円減）2,000万円
- 1億円（預金）

土地評価額 計1億2,000万円

（子）660㎡
- 330㎡ 小規模宅地等の特例（80%減=8,000万円減）2,000万円
- 取得済 330㎡
- 1億円（預金）

土地評価額 計2,000万円

- このあと、相続税額の計算時に、父からの相続時における母（配偶者）の税額軽減の特例を考慮することになる
- 「小規模宅地等の特例」の上限は個人単位ではなく、そのときの全相続分の上限となる

第5章　相続発生時でもまだ間に合う不動産での節税ポイント

［ケース別での一次・二次相続の比較 その2］

自宅敷地【一次相続】	① 母が相続	②	③ 母・子が1／2ずつ相続	④
被相続人(相続人)	父からの相続【一次相続】	母から子への相続【二次相続】	父からの相続【一次相続】	母から子への相続【二次相続】
土地(評価額)	1億2,000万円	1億2,000万円	1億2,000万円	2,000万円
預金	2億円	1億円	2億円	1億円
課税価格	3億2,000万円	2億2,000万円	3億2,000万円	1億2,000万円
相続税額	3,860万円	5,660万円	3,860万円	1,820万円
合計	9,520万円		5,680万円	

差額3,840万円の節税！

二次相続を視野に入れ、子が「小規模宅地等の特例」を2回使うことで、結果的に相続税の節税につながることがわかります

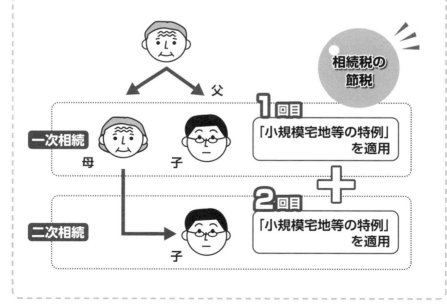

5-5 配偶者居住権と敷地利用権を検討する

配偶者居住権と敷地利用権の概要を知る

■配偶者居住権とは

配偶者居住権は民法に規定されている権利で、夫婦の一方が亡くなった場合に、残された配偶者が被相続人の建物に居住していたとき（同居でなくてもかまいません）には、その建物に無償で住み続けるなどすることができるという権利です。

配偶者以外の相続人がその建物を取得しても、配偶者が配偶者居住権を取得して、配偶者が住む場所を確保するとともに金融資産も取得できれば、老後の不安を解消することができます。

配偶者が配偶者居住権を取得するためには、次の3つの要件を満たす必要があります。

①配偶者が、相続開始時に被相続人の建物に居住していたこと
②配偶者が、遺産分割協議又は遺贈によって配偶者居住権を取得すること
③被相続人が、相続開始時にその建物を配偶者以外の者と共有していないこと

■配偶者居住権の財産評価

配偶者居住権も相続財産として評価が必要になります。配偶者居住権が設定された家屋の評価額は、家屋所有者の所有権の評価額と配偶者居住権の評価額を合計した金額になります。

（家屋の評価額の算式）
　家屋の評価額（※）＝家屋所有権の評価額＋配偶者居住権の評価額
　※固定資産税評価額

　そして、配偶者居住権には存続期間があり、その設定時から存続期間終了時まで徐々に減少し、存続期間終了時に配偶者居住権の評価額は０円となります。そのときに、家屋所有者の所有権は制限のないものとなります。

（配偶者所有権の存続期間終了時の算式）
　家屋の評価額＝家屋所有権の評価額

　このように、配偶者居住権の評価額は時の経過とともに減少するのですが、そのイメージは下図のようになります。

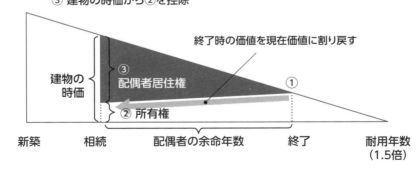

出典：令和元年度税制改正の解説（財務省ホームページより）

■敷地利用権の財産評価

　配偶者居住権は家屋に対する権利ですが、その**家屋が建っている敷地についても配偶者居住権に基づいて権利を取得できます**。これを**敷地利用権**といいます。敷地利用権も相続財産として相続税の課税の対象になりますので、評価が必要となります。借地権があることによって利用・処分が制限されるため土地の評価額が減少するのと同様、配偶者居住権によっても利用・処分が制限される分だけ、その土地の評価額は減少します。

（配偶者居住権のある土地の評価額の算式）
配偶者居住権のある土地の評価額＝その土地の所有権の評価額＋敷地利用権の金額

　敷地利用権も存続期間があって、下図のように、設定時から徐々に減少し、期間終了時に0円となります。

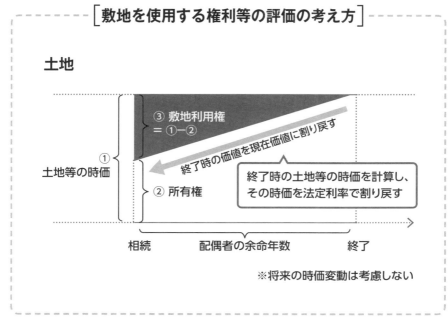

［敷地を使用する権利等の評価の考え方］

出典：令和元年度税制改正の解説（財務省ホームページより）

■配偶者居住権の利用例

　被相続人（夫）は自宅（敷地面積 200㎡）で妻と二人暮らしでした。長男は別居で持ち家に住んでおり小規模宅地等の特例の要件は満たしません。

　相続財産は、自宅家屋 1,000 万円、自宅の敷地 4,000 万円、預金 5,000 万円、合計 1 億円です。

　妻は引き続き自宅に住み続けたいという希望があり、相続財産は法定相続分の 1/2 ずつで分割するという方針で遺産分割協議をしました（下表遺産分割パターン 1）。

　自宅に住み続けたいという妻の希望どおり、妻が自宅の家屋及び敷地を取得すると法定相続分の 1/2 になってしまい、現金を取得することができません。その後の生活費も不安なので現金も取得したいところです。

　このような場合には配偶者居住権を活用することで解決できます（下表遺産分割パターン 2）。実際には配偶者居住権及び敷地利用権は相続税法の規定により計算しますが、ここでは、仮に配偶者居住権が

[遺産分割のシミュレーション]

区分	遺産分割パターン1		遺産分割パターン2	
取得者	妻	長男	妻	長男
家屋	1,000万円	—	—	300万円
土地	4,000万円	—	—	1,700万円
配偶者居住権	—	—	700万円	—
敷地利用権	—	—	2,300万円	—
預金	—	5,000万円	2,000万円	3,000万円
合計	5,000万円	5,000万円	5,000万円	5,000万円
取得割合	1／2	1／2	1／2	1／2

700万円、敷地利用権が2,300万円だったとします。

遺産分割パターン1では、家屋1,000万円と土地4,000万円で法定相続分の5,000万円となり、妻が預金を相続することができませんでしたので老後の資金が心配です。一方、配偶者居住権を活用した遺産分割パターン2では、配偶者居住権700万円と敷地利用権2,300万円で妻は自宅に住み続けることができ、さらに預金2,000万円を取得して老後の資金も確保することができます。

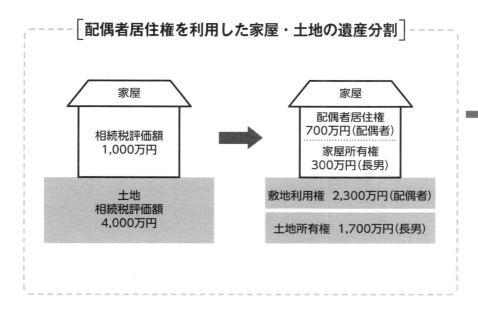

■**敷地利用権は小規模宅地等の特例が適用できる。**

敷地利用権は、宅地ですから他の要件を満たせば小規模宅地等の特例が適用できます（配偶者居住権は家屋なので適用できません）。

したがって、パターン2では妻が取得した敷地利用権（2,300万円）に小規模宅地等の特例が適用できます。

5-6 配偶者居住権のメリットとデメリット

配偶者居住権のメリットとデメリットを比較して適用を考える

■配偶者居住権を使うと二次相続で節税になる(メリット)

次の表は、162ページで紹介した遺産分割パターン1と遺産分割パターン2での二次相続時の財産額を比較したものです。前提として、配偶者(妻)は、相続財産以外に固有の財産として預金が2,000万円あるとします。

一次相続から二次相続の間に、土地、家屋の評価額は変わらないものとし、妻は一次相続後に預金1,000万円を生活費に使ったとします。

[二次相続の比較]

		妻の財産金額			
	財産の種類	遺産分割パターン1		遺産分割パターン2	
		一次相続時	二次相続時	一次相続時	二次相続時
一次相続で取得した財産	家屋	1,000万円	1,000万円	ー	ー
	土地	4,000万円	4,000万円	ー	ー
	配偶者居住権	ー	ー	700万円	ー
	敷地利用権	ー	ー	2,300万円	ー
	現金	ー	ー	2,000万円	2,000万円
	合計	5,000万円	5,000万円	5,000万円	2,000万円
妻固有の財産/預金		2,000万円	1,000万円	2,000万円	1,000万円
合計		7,000万円	**6,000万円**	7,000万円	**3,000万円**

3,000万円減少

パターン1では妻が土地・家屋を取得していましたので、二次相続でも土地・家屋が相続財産となります。一方、パターン2では一次相続で土地・家屋を長男が取得済みですので、二次相続では相続財産となりません。さらに、配偶者居住権及び敷地利用権は、配偶者が死亡したときに消滅するので、相続財産となる土地家屋はありません。
　このように、**配偶者が配偶者居住権を取得することにより二次相続の相続税を軽減することができます。**

■配偶者が老人ホームに入居したら（デメリット）

　原則として配偶者居住権は配偶者死亡のときまで存続します。存続期間を一定期間とすることも可能ですが、その場合、期間経過後に配偶者は住むところに困る可能性があります。
　また、**配偶者居住権は配偶者が住む権利ですから売却することはできません。**土地を取得した相続人については土地の所有権があるため土地の売却は可能ですが、配偶者が老人ホームに入居することとなった場合であっても、配偶者居住権が存続しているため配偶者の死亡までその建物は売却することはむずかしくなります。一方で土地を所有している限りは、毎年、固定資産税の支払いが必要になります。
　例外として、建物の所有者との合意により建物の所有者から代金を受け取り解除することは可能ですが、配偶者が認知症になった場合には、解除することができなくなります。その場合にも、配偶者の死亡までその建物は売却できないことになります。

■配偶者居住権の活用には慎重な判断が必要

　このように、配偶者居住権は節税にも利用できるのですが、処分に制限があるので、対象不動産が空き家になったので売りたいと思っても配偶者の死亡までは売りたくても売れないこともあるなどデメリットもありますので適用に当たっては慎重な判断が必要になります。

COLUMN

下落した株を物納できるって本当？
～物納に不適格な株式の要件を知る～

物納とは？

物納とは、相続税をお金で一括して納められず、延納（分割払）でも納税が困難なときに、お金での納税を困難とする金額を限度として一定の相続財産で納めることです。

物納は税務署の手続きのハードルが高いイメージがありますが、まったく認められないというわけではありません。その物納において一部の株は不適格とされています。

なお、国税庁の発表では、令和5年度に物納の申請件数は53件で、25件が物納許可となっています。

不適格の要件に該当しない株なら物納も可能

どんな株が認められないか、その要件は次のとおりです。
・譲渡要件に一定の手続きがあり、その手続きをとっていない株式
・譲渡制限株式
・質権その他の担保権の目的となっている株式
・権利の帰属について争いがある株式
・共有に属する株式（共有者全員がその株式について物納の許可を申請する場合を除く）
・暴力団員などに支配されている、もしくは暴力団員が役員となっている会社の株式（取引相場のない株式に限る）

逆にいうと、上記に該当しない株であれば物納が認められます。

では、相続開始時より値下がりしている株を相続開始時の評価額で物納できるのでしょうか。結論をいえば、できなくはありません。ただし、物納は延納によっても納めることが困難な場合で、金銭納付が困難な金額を限度として認められます。

第 6 章

不動産オーナー必見!
不動産売買で
損をしないための
基礎知識

専門知識を要する不動産売買で損をしないためには、不動産を売却したときの節税方法を知るとともに、基本的な用語や取引のしくみを知っておくことが大切。加えて、自社の儲けばかりを重視するような業者に依頼しないことも大事なポイントだ。

主な内容

- 不動産を売却するなら譲渡所得税がポイント
- 空き家特例、取得費加算、居住用財産の3,000万円特別控除など
- 短期譲渡所得と長期譲渡所得、10年超所有軽減税率の特例など
- こんな仲介業者には気をつけよう

6-1 不動産を売却するときにかかる税金の基本を押さえる

不動産の売却益に対する税金の計算方法

■不動産の売却益にかかる税金の計算

（1）譲渡所得の計算

　不動産売却による利益（譲渡所得）には税金がかかります。譲渡所得の金額は、売った金額から買ったときの金額（取得費）と売却するためにかかった費用（譲渡費用）を差し引いて計算します。算式にすると次のとおりです。

譲渡所得＝不動産の売却価格－（取得費＋譲渡費用）

（2）取得費の計算

　取得費には、不動産の購入代金、不動産会社に支払った仲介手数料、司法書士に支払った登記手数料、登録免許税等が該当します。

　なお、土地については購入代金が取得費となりますが、建物は時の経過により価値が減少することを考慮して、購入代金から減価償却費相当額を差し引いた金額が取得費となります。

土地の取得費＝その土地の購入代金

建物の取得費＝建物の購入金額－減価償却費相当額

なお、減価償却費相当額は次の算式で計算します。

減価償却費相当額＝建物の購入金額×0.9×償却率×経過年数

償却率は構造（木造、鉄筋コンクリート造等）によって異なります。

例えば、非業務用（自己の居住用等）の木造住宅の償却率は 0.031、鉄筋コンクリート造の住宅の償却率は 0.015 です。経過年数は、建物を取得してから売却するまでの期間で、6 カ月以上の端数は 1 年とし、6 カ月未満は切り捨てます（事業用の建物は計算方法が異なります）。

（3）譲渡費用の計算

譲渡費用は、土地・建物を売るために直接かかった費用で、次のようなものが該当します。
・不動産会社に支払った仲介手数料
・測量費用
・建物を取り壊して土地を売るときの取り壊し費用　など

■取得費が不明の場合に使える概算取得費

取得費は不動産を購入したときの金額です。しかし、何十年も前に購入した物件や相続で取得した物件の場合には取得時の契約書等がなく、取得費がわからないことがあります。このような場合は、不動産の売却金額の 5％を取得費とすることが認められています。これを概算取得費といいます。

概算取得費(取得費が不明な場合)＝不動産の売却金額×5％

概算取得費は簡便な方法ではありますが、取得費が不動産売却価格の 5％ですから、売却価格のほとんどが譲渡所得ということになり多額の税金が発生してしまいます。そこで、この概算取得費に代えて、「**市街地価格指数**」を利用して取得費を計算する方法を、181 ページの 6 − 5 で紹介します。

■譲渡所得に対する税金の計算の原則

このように計算した不動産売却の利益（譲渡所得）に税率をかけて譲渡所得の税額を計算するのですが、土地・建物の譲渡所得は、分離課税といって給与や不動産賃貸収入、年金等の他の所得とは別に税額の計算をします。

また、不動産の譲渡所得は、不動産の所有期間によって税率が異なります。

所有期間が5年以下の場合は「**短期譲渡所得**」となり、税率は39.630％、所有期間が5年を超える場合は「**長期譲渡所得**」となり、税率は20.315％となります。これらの税率は、所得税に復興特別所得税、住民税を合計したものです。

[譲渡所得税の基本]

譲渡所得 ＝ 不動産の売却価格 －（取得費＋譲渡費用）

取　得　費：売却した不動産を取得したときにかかった購入代金など
譲 渡 費 用：不動産の売却時に仲介会社に支払った仲介手数料など

建物取得費 ＝ 建物の購入額－減価償却費相当額

減価償却費：建物の購入額×0.9×償却率×経過年数

譲渡所得税

所有期間が5年以内…短期譲渡所得　……　税率 **39.630**％
所有期間が5年超……長期譲渡所得　……　税率 **20.315**％

※いずれも復興特別所得税、住民税込み

■**不動産売却の税金が安くなる譲渡所得の特例**

　短期譲渡所得 39.630％、長期譲渡所得 20.315％というのは原則です。譲渡所得には一定の条件を満たすと税率の軽減や、利益の金額が減額される等の特例があります。

　代表的な特例を次ページ以降で見ていきますが、ここでは全体像を押さえましょう。

　法令には数多くの特例が規定されているのですが、その中でもよく利用されるのが、自分が住んでいる家（マイホーム）を売却した場合の特例と、相続で取得した不動産を売却した場合の特例です。

　なお、マイホームを売却した場合の特例には、マイホームを売却した場合に適用できるものと、マイホーム売却後に新たなマイホームを買い替えた場合に適用できるものがあります。

　これらの特例は法令によって適用できる期限を定められているものもあります。また、適用できる期限が到来した場合でも、その適用期限が延長され、引き続き特例を適用できる場合もあるのですが、その際に、特例の内容や要件が変更されることがありますので注意してください。

［マイホームを売却したときの主な特例］

区分	主な特例	概要
マイホームを売却したとき	3,000万円特別控除の特例	所有期間にかかわらず譲渡所得が3,000万円までは税金がかからない
マイホームを売却したとき	10年超所有軽減税率の特例	所有期間が10年超の場合は、譲渡所得の6,000万円以下の税率が軽減される
マイホームを売却し、買い替えたとき	買い替えの特例	売却したマイホームの利益への課税を買い替え後の不動産を売るときまで先送りできる
マイホームを売却し、買い替えたとき	譲渡損失の損益通算・繰越控除の特例	売却したマイホームの損失を他の所得から控除可能。控除しきれなかった損失は翌年以後3年内に繰り越して控除することができる

［相続で取得した不動産を売却したときの主な特例］

主な特例	概　　要
取得費加算の特例	相続の時から3年10カ月後までに売却した場合、その相続税申告での相続税額の一部を取得費に加算することができる
空き家の特例	相続で取得した不動産が、「空き家」であった場合、相続の時から3年を経過する年の年末までに売却すれば、譲渡所得3,000万円までは税金がかからない

　不動産を売却して売却益が出たときは確定申告が必要です。特例を利用したため、譲渡所得が0円となり、納める税金がない場合であっても、特例を利用するために確定申告が必要になります。

■知らないと大変、譲渡所得での所有期間の判定時期

　譲渡所得では所有期間が重要になります。所有期間が5年以下は短期譲渡、所有期間が5年超は長期譲渡となりますが、この所有期間は不動産を売却した年の1月1日で判定します。

　例えば、平成31年4月1日に取得した不動産を令和6年5月31日に売却した場合、実質所有期間は5年2カ月ですが、譲渡所得の計算では、令和6年1月1日（売却した年の1月1日）で判定しますので、所有期間は5年以内となります。

　令和6年4月1日を過ぎたので、5年を経過しているから税率20.315％だと思って売却をすると短期譲渡の39.63％の税率が課税され、2倍近くの税金を支払わなければならないことになりますので注意してください。

　174ページ以降で紹介する特例でも同様の判定方法で所有期間を判定します。

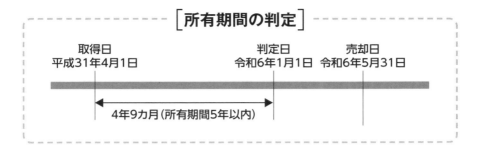

■**相続・贈与で取得した不動産の取得時期**

相続や贈与によって不動産を取得したときは、191ページのコラム「限定承認」の場合を除き被相続人や贈与者の取得時期が引き継がれます。

したがって、被相続人が10年所有していた不動産を取得した相続人が所有期間2年で売った場合であっても、被相続人の所有期間を併せると12年となり長期譲渡所得の税率が適用されます。

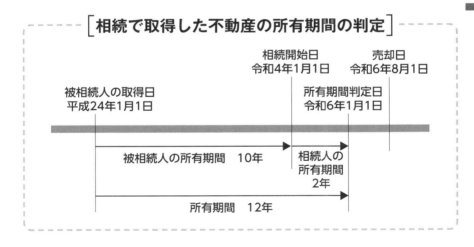

6-2 相続した空き家の売却に使える3,000万円特別控除（空き家の特例）

空き家となっている被相続人の自宅を売却する際に使える特例

■ 空き家の特例の概要を押さえる

相続で取得した被相続人の自宅の家屋及びその敷地を相続後に売却した場合に、一定の要件を満たせば譲渡所得が3,000万円までは税金がかからないという特例があります。これを一般に「空き家の特例」といいます。

この特例は、譲渡所得から3,000万円を差し引いた金額に税率をかけて税金を計算しますが、相続で取得した不動産は、被相続人の取得時期を引き継ぎますので、被相続人の所有期間と相続で取得した人の所有期間を合計して5年以内であれば税率は39.630％、5年超であれば20.315％となります。また、空き家に適用できますので、178ページの6−4で説明する10年超所有のマイホームの軽減税率の特例は適用できません。184ページの6−6の取得費加算の特例も相続財産の不動産を売却した場合に適用できる特例ですが、この2つを同じ不動産に併用できません。

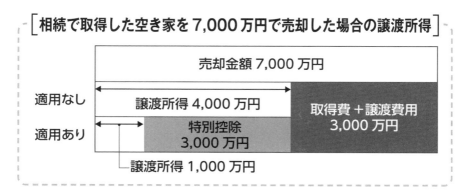

[相続で取得した空き家を7,000万円で売却した場合の譲渡所得]

■**空き家の特例の主な要件**

　空き家の特例を適用するには、家屋とその敷地の要件と併せて、売却に関する要件があります。主な要件は次のとおりです。

[空き家の特例の主な要件]

家屋とその敷地に関する要件	
1	相続の直前に被相続人が住んでいた家屋であること （被相続人が要介護認定を受けて老人ホーム等に入居の場合も該当）
2	昭和56年（1981年）5月31日以前に建築された家屋であること
3	区分所有建物登記がされている建物でないこと
4	売却の時に家屋が一定の耐震基準を満たしていること （売却の翌年2月15日までに耐震基準を満たすか、その家屋が取り壊された場合にも適用可能）
5	相続の直前に被相続人以外に居住をしていた人がいなかったこと
6	相続の時から、事業、貸付、居住のために使用されていないこと
7	家屋を取り壊して敷地を売却する場合、取り壊しの日から売却の時まで、その敷地に建物、構築物がなかったこと
売却に関する要件	
1	売主が、被相続人の自宅の家屋とその敷地の両方を相続又は遺贈で取得した人であること
2	売却不動産は1に該当する家屋か、家屋とその敷地であること （家屋を取り壊しての売却も可）
3	相続のときから3年経過した年の12月31日までの売却であること
4	売却代金が1億円以下であること
5	家族等の関係者に対する売却でないこと
6	売却した家屋、その敷地に対して、取得費加算の特例等他の特例を適用していないこと
7	同一の被相続人から相続または遺贈で取得した被相続人用家屋、その敷地についてこの特例を適用していないこと

第6章　不動産オーナー必見！　不動産売買で損をしないための基礎知識

6-3 マイホームの譲渡所得が3,000万円以下なら税金がかからない(3,000万円特別控除)

マイホームの売却なら所有期間に関係なく使える特例

■マイホームを譲渡したときの3,000万円特別控除の概要

　自分が住んでいる家（マイホーム）を売ったときに、一定の要件を満たせば**所有期間に関係なく譲渡所得が3,000万円までは税金がかかりません**。マイホームの所有期間が10年を超えている場合には、178ページの6－4に示す10年超所有軽減税率の特例も要件を満たせば併用できます。

　なお、家族など特別な関係のある者に対する売却の場合や、売却の年の前年、前々年にこの特例を適用している場合にはこの特別控除は適用できません（他の譲渡所得の特例で併用が制限されているものもありますので注意してください）。

　また、マイホームを売却し、その売却代金と住宅ローンにより新たなマイホームを購入するというケースで、住宅ローン控除との併用はできません。

[2,700万円で取得したマイホームを7,000万円で売却したときの譲渡所得]

- 取得費 2,700万円
- 7,000万円で売却
- 譲渡費用 300万円
- 売却金額 7,000万円
- 譲渡所得 4,000万円
- 取得費＋譲渡費用 3,000万円

[マイホームを7,000万円で売却した場合の譲渡所得]

	売却金額 7,000万円	
適用なし	譲渡所得 4,000万円	取得費＋譲渡費用 3,000万円
適用あり	特別控除 3,000万円	

└譲渡所得 1,000万円

■3,000万円特別控除適用の要件

　この特例は自分が住んでいるマイホームを売却する場合と自分が以前住んでいたマイホームを売却する場合に適用できます。特例を適用するための主な要件は次表のとおりです。

[3,000万円特別控除を適用するための要件]

ケース	要件
自分が住んでいるマイホームを売却した場合	次のどちらかの売却であること 1　自分が住んでいる家屋 2　1の家屋とその敷地（借地権を含む）
自分が以前住んでいたマイホームを売却した場合	1　売却の対象物件の要件は自分が住んでいるマイホームを売却した場合と同じ 2　住まなくなった日から3年を経過する年の12月31日までに売却すること
自分が以前住んでいたマイホームの家屋を取り壊して敷地等を売却した場合	次の要件をすべて満たしていること 1　敷地の譲渡契約が家屋を取り壊した日から1年以内に締結されていること 2　そのマイホームに住まなくなった日から3年を経過する年の12月31日までに売却すること 3　その家屋の取り壊し日から譲渡契約締結日まで、その敷地を貸し付け（例えば貸駐車場等）その他の利用をしていないこと

6-4 10年超所有のマイホームの売却は税金が軽減される（10年超所有軽減税率の特例）

譲渡所得の6,000万円以下の部分が大幅に軽減される特例

■軽減税率の特例の概要

　マイホームを売った場合に、売った年の1月1日で売った家屋やその敷地の所有期間がともに10年を超えている場合で、一定の要件に当てはまるときは、譲渡所得の6,000万円以下の部分について税率が軽減されます。

　この特例は、前述したようにマイホームを譲渡したときの3,000万円特別控除との併用が可能です。したがって、**3,000万円特別控除と併せて適用することによって、売却益から3,000万円を差し引いた残額の6,000万円以下の部分に軽減税率が適用されます。**

　なお、3,000万円特別控除と同様、家族など特別な関係のある者に対する売却の場合や、売却の年の前年、前々年にこの特例を適用している場合には、この特別控除は適用できません（他の譲渡所得の特例で併用が制限されているものもあります）。

　また、マイホームを売却し、その売却代金と住宅ローンにより新たなマイホームを購入するというケースで、住宅ローン控除との併用はできません。

■軽減税率の特例で軽減される割合

　5年を超える長期譲渡所得の税率は一律20.315％ですが、この特例を適用する場合、**譲渡所得が6,000万円以下の部分については、14.21％が適用**されます。なお、6,000万円を超える部分については、原則どおり20.315％の税率となります。

[10年超所有したマイホームを1億円で売却したときの譲渡所得の税率]

	売却金額1億円	
適用なし	譲渡所得 8,000万円 8,000万円 × 税率 20.315%	取得費 + 譲渡費用 2,000万円
適用あり	6,000万円 × 税率 14.21% 2,000万円 × 税率 20.315%	

■10年超所有軽減税率の特例適用の要件

　この特例は 3,000 万円特別控除と同様、住んでいるマイホームを売却する場合と過去に住んでいるマイホームを売却する場合に適用できます。特例を適用するための主な要件は下の表のとおりです。

[10年超所有軽減税率の特例適用の要件]

ケース	要件
自分が住んでいるマイホームを売却した場合	次のどちらかの売却であること 1　日本国内にある自分が住んでいる家屋 2　1の家屋とその敷地（借地権を含む）
自分が住んでいたマイホームを売却した場合	1　売却の対象は自分が住んでいるマイホームを売った場合と同じ 2　住まなくなった日から3年を経過する年の12月31日までに売却すること
自分が住んでいたマイホームの家屋を取り壊して敷地等を売却した場合	次の要件をすべて満たしていること 1　取り壊した自宅の家屋とその敷地の所有期間が、家屋を取り壊した年の1月1日で10年超であること 2　敷地の譲渡契約締結が、家屋取り壊しの日から1年以内に締結されていること 3　そのマイホームに住まなくなった日から3年を経過した12月31日までに売却すること 4　家屋取り壊しの日から譲渡契約締結日まで、その敷地を貸し付け（例えば貸駐車場等）、その他の利用をしていないこと

■3,000万円特別控除との併用

　では、特例を併用した際の具体例を見てみましょう。10年超居住したマイホームを7,000万円で売却したときに、取得価額が3,500万円、譲渡費用が300万円だった場合、売却益は3,200万円になります。所有期間が5年超の不動産の譲渡の税率は、原則として20.315％ですから、特例を適用しない場合の税額は、約650万円（3,200万円×20.315％）です。しかし、10年超所有軽減税率の特例と3,000万円特別控除と併用すれば、下の表のように税額は約28万円となり、約622万円の節税が可能となります。

[特例の併用でこれだけ節税できる]

		特例適用なし	3,000万円特別控除	10年超所有軽減税率の特例	3,000万円特別控除と10年超所有軽減税率の特例の併用
①	売却益	3,200万円	3,200万円	3,200万円	3,200万円
②	3,000万円特別控除	―	▲3,000万円	―	▲3,000万円
③	譲渡所得（①-②）	3,200万円	200万円	3,200万円	200万円
税率	6,000万円以下	一律20.315%	一律20.315%	14.21%	14.21%
	6,000万円超			―	―
	合計税額	約650万円	約40万円	約454万円	約28万円

約622万円の節税

6-5 取得費が不明なときは「概算取得費」だけでなく「市街地価格指数」を検討して大幅節税

概算取得費に代わる方法で譲渡所得税を節税する

■取得費が不明なときの概算取得費と市街地価格指数とは?

　譲渡所得の計算で取得費が不明な場合は売却金額の5%を取得費とする概算取得費で計算ができるのですが、概算取得費では納税額が多額になるケースもあります。

　このような場合には、実際の取得費を立証するひとつの方法として**市街地価格指数**の採用を検討しましょう。市街地価格指数とは、一般財団法人日本不動産研究所が、年に2回全国の主要都市の中から選定された地点(宅地)の価格調査の結果を指数化したものです。市街地価格指数を用いて取得費を算出することで、概算取得費の計算方法よりも譲渡所得を抑えることができるとともに、より正確な取得費を算出できる可能性があります。ただし、この方法は税務署に認められない可能性もありますので、採用する場合には土地に強い税理士に相談してください。

■市街地価格指数で取得費を計算できる条件

　市街地価格指数が認められるためには、少なくとも次の条件が備わっていることが必要です。

①不動産の購入額を証明できる資料がないこと

　市街地価格指数は、対象不動産の売買契約書や、不動産購入資金の振り込み金額がわかる預金通帳、住宅ローンの契約書など、購入額がわかる資料がない場合に採用します。

②対象不動産を取得したときの地目が宅地であること

市街地価格指数は宅地の価格の指数です。したがって、購入時に農地や山林であった場合には市街地価格指数では取得費を算定することができません。

③対象土地の公示価格や路線価の推移と、市街地価格指数の推移が同等の水準であること

　公示価格は国土交通省が標準地の価格を公表したもので、一般の土地の取引価格の指標、公共事業用地の取得価格算定の基準とされています。路線価は国税庁が主要な道路に価格をつけ、その道路に面している土地評価額の算定に使用されます。

　これらに比べ、市街地価格指数は大きく地域分類され指数が定められているため、場合によっては対象不動産が所在する地点の市街地価格指数の推移と公示価格・路線価の推移が大きく異なることもあります。そのような場合は市街地価格指数を採用することはできません。

　しかし、①〜③の条件が整い、市街地価格指数を採用して取得費を計算すると次ページのように大幅に納税額が減額できる可能性があります。

[概算取得費と市街地価格指数での取得費の計算]

令和6年に1億円で売却した不動産(横浜の商業地)
父が昭和47年に購入

> 父によると、購入時の取得費は5,000万円と記憶しているが、当時の取得費を証明できる資料がない

【概算取得費で計算する方法】

注)譲渡費用はゼロ円、税率は復興特別所得税を除いた計算

概算取得費　**(1億円の5％)＝500万円**

譲渡所得　　**1億円－500万円＝9,500万円**

納税額　　　**9,500万円×0.2＝1,900万円**

※税額＝課税譲渡所得金額×長期譲渡所得の税率20％（所得税15％住民税5％）

【市街地価格指数で取得費を計算する方法】

注)譲渡費用は0円、税率は復興特別所得税を除いた計算。市街地価格指数は「市街地価格指数2024年3月末現在」(一般財団法人日本不動産研究所)のデータ

市街地価格指数　**購入当時：昭和47年「67.9」**
　　　　　　　　売却時：令和6年「150.7」

取得費　　$1億円 \times \dfrac{67.9}{150.7} = 4,500万円$ **（推計取得費）**

譲渡所得　　**1億円－4,500万円＝5,500万円**

納税額　　　**5,500万円×0.2＝1,100万円**

納税額に**800万円**の差

6-6 納付した相続税を譲渡所得の取得費に加算する(取得費加算の特例)

相続した不動産に相続税がかかっていれば使える特例

■取得費加算の特例とは

　財産を相続したときは相続税がかかります。財産に不動産が含まれていれば不動産にも相続税がかかることになります。そして、相続後すぐにその不動産を売却した場合にも譲渡所得として所得税がかかります。このように短期間に同じ財産に2度税金がかかるという負担を調整するために、売却する不動産の譲渡所得の計算の際にその不動産にかかった相続税相当額を取得費に加算することによって譲渡所得の金額を減額することが認められています(**取得費加算の特例**)。

　具体的には譲渡所得を算出する次の算式の取得費に、売却した不動産についてかかった相続税相当額を加算します。

$$譲渡所得＝不動産の売却収入－(取得費＋譲渡費用)$$

　　　　　　　　　　　　　　　　ここに加算

■取得費に加算できる相続税額の算出のしかた

取得費に加算する金額は次の算式で算出します。

取得費に加算する金額

$$① 不動産を売った人の相続税額 \times \frac{② 売却した不動産の相続税評価額}{③ 不動産を売った人の相続財産合計}$$

次表の相続財産と相続税額の状況で、長男が取得したA市所在の土地建物を売却したときは、1,336万円を取得費に加算して譲渡所得の計算をすることができます。

①1,670万円×②8,000万円÷③1億円＝1,336万円

[相続で取得した財産と納税額の状況]

相続人	長男	長女	合計
相続税額	①1,670万円	1,670万円	3,340万円
取得した不動産 （うち不動産の評価額）	A市所在土地建物 （②8,000万円）	B市所在土地建物 （5,000万円）	（1億3,000万円）
相続財産合計額	③1億円	1億円	2億円

■取得費加算の要件

取得費加算の特例の適用には次のすべての要件を満たす必要があります。

[相続で取得した財産と納税額の状況]

売却する人	売却する不動産を相続、遺贈で取得した人であること
加算する相続税額	売却する不動産を取得した人に相続税が課税されていること
売却の期限	その不動産を取得した相続の時から3年10カ月以内に売却していること
空き家の特例 との関係	空き家の特例を適用しないこと

■株式の売却でも取得費加算の特例は適用できる

相続で取得した株式でも取得費加算の特例を適用できます。上場株式の譲渡所得金額は、次の算式で算出します。

総収入金額（譲渡価額）－必要経費（取得費＋委託手数料等）

売却した株式が相続、遺贈により取得したもので、相続税が課税されていて、その株式を取得した相続の時から3年10カ月以内に売却すれば、取得費加算の特例が適用できます。

■代償分割が行われた場合の取得費加算の特例

遺産分割のときに、自宅とA銀行の預金は長男が取得、貸駐車場とB銀行の預金は長女が取得のように、財産ごとに取得者を決めることが多いのですが、すべての財産を長男が取得し、その代わりに長女に金銭（代償金）を支払うという方法での遺産分割も認められています。これを「代償分割」といいます。代償分割は、主な相続財産が不動産で、売却しないと遺産分割がむずかしいような場合でも不動産を売却することなく遺産分割を行うことができるというメリットがあります。

代償分割による遺産分割であっても、代償金を支払って不動産を取得した相続人が、相続のときから3年10カ月以内にその不動産を売却した場合には、支払った相続税について取得費加算の特例が使えます。

しかし、取得費加算ができる金額を計算する際に代償金の調整計算を行うため、財産ごとに取得者を決めた場合に比べ取得費加算ができる金額は減少しますので注意が必要です。

6-7 相続でのケース別 譲渡所得の特例の活用

相続に関連する不動産売却で損をしないために

■生前対策で使える譲渡所得の特例（不動産を売却）

　一般的に、生前に不動産を売却して現金化することは相続税の財産評価額が高くなるので相続税節税の観点からは有効ではありません。

　それでも次のようなケースでは、円滑な相続のために生前に自宅（土地・建物）の売却を検討されるかもしれません。そのときは、**譲渡所得の特例**を有効に活用すれば節税が可能となります。

[生前に譲渡所得の特例を検討できるケース]

状況	懸念事項
・高齢の親が長年住んだ自宅に一人暮らしだったが介護認定を受け老人ホームに入居することになった ・自宅を相続する予定の親族は持ち家がある	・自宅が空き家となる ・自宅に小規模宅地等の特例を適用できない
・相続財産となる親の財産は自宅の土地・建物と少額の預金である	・老人ホーム入居後の生活資金が不足する可能性がある（親） ・相続税の納税資金が不足する可能性がある（相続人）
・相続人となる子が複数人いて不仲である	・申告期限までに遺産分割協議がまとまらない可能性がある
・自宅（昭和56年6月1日以後建築）を取得した相続人は相続後に売却予定	・空き家の特例が適用できないので、相続人は多額の納税となる

■ **自宅を買い替える場合**

　長年住み続けた自宅が築古となった、二世帯住宅にして子供と住むことになった等の理由で高齢になってから自宅を買い替えることがあります。このような場合も、譲渡所得の特例を有効に利用することで大幅な節税が可能です。

　上記のような理由で自宅を買い替える場合は、3,000万円特別控除と10年超所有軽減税率の特例で節税、あるいは、マイホームの買い替えの特例で売却益に対する課税を次回の自宅売却まで繰り延べて納税額を0円にすることができます。売却額が3,000万円以下であれば、3,000万円特別控除で納税額が0円になるのですが、売却益が3,000万円を超えた場合に納税額を0円にするためには、マイホームの買い替えの特例を適用することになります。しかし、このマイホームの買い替えの特例は、譲渡所得に対する課税の先送りにすぎません。

　例えば、2,000万円で取得したマイホームを6,000万円で売却し、6,000万円のマイホームに買い替えた場合、この売却の際には課税さ

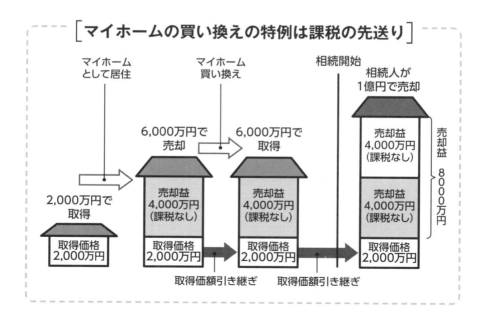

れず、次にこの6,000万円のマイホームを売却したときに、取得費が2,000万円として課税されます。そのときに、売却金額が1億円だとすると8,000万円が譲渡所得として課税されますので、先送りした税金を相続人に負担させることになります。

■相続後に使える特例

一方で、**相続後に使える譲渡所得の特例は、取得費加算の特例と空き家の特例です**。空き家の特例は譲渡所得から3,000万円の控除ができ、取得費加算の特例は次の計算式で算出します。したがって、次の計算式で算出した金額が3,000万円を超える場合には取得費加算の特例のほうが節税効果が高くなります。

ただし、要件を満たさず空き家の特例が使えない場合もあるので、その場合には、取得費加算の特例での節税が有効です。

（取得費加算の算式）

$$\text{土地を売却した人の相続税額} \times \frac{\text{売却した土地の相続税評価額}}{\text{土地を売却した人の相続財産合計}}$$

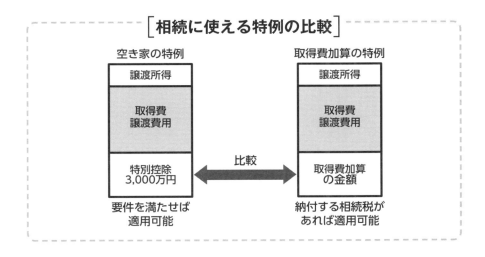

［相続に使える特例の比較］

■空き家の特例を使うときの注意点

　空き家の特例は売却代金が1億円を超えると適用できません。この1億円の判定は、2回以上に分けて売却した場合には通算した金額で、他の共有者が売却した場合は、その共有者の売却代金と合算した金額で行います。

　また、空き家となった被相続人の自宅(土地・建物)を複数の相続人が共有で取得した場合、令和5年12月31日までは、その空き家を売却した相続人ごとに3,000万円の特別控除を受けることができたのですが、法律が改正され、令和6年1月1日からは、その空き家を取得した相続人の数が3人以上である場合には、特別控除の金額が1人につき2,000万円となりました。

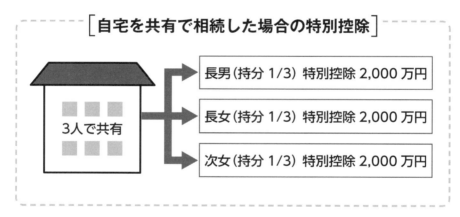

■被相続人と同居していた相続人が被相続人の自宅を相続した場合

　被相続人と同居していた相続人が被相続人の自宅を相続し、自宅として住んでいた場合に、その自宅を譲渡するときにはマイホーム3,000万円特別控除が適用できます。また、要件さえ満たせば、10年超所有軽減税率の特例、取得費加算の特例も適用できますので、特例を上手に利用することでかなりの節税が期待できます。

COLUMN

限定承認とみなし譲渡所得課税
〜相続財産の「値上がり益」は被相続人の所得〜

限定承認とは

相続は、財産も債務も引き継ぐため、財産額を上回る借入金があった場合のように債務の金額が財産額より多額の場合、相続人には債務が残ることになります。しかし、被相続人の債務の額が不明で、債務を差し引いても財産が残るかもしれないという場合もあります。そのようなときのために民法では、相続した財産の範囲内で債務を負えばよいという方法を認めています。これを限定承認といいます。

限定承認は原則として、被相続人が亡くなり自分が相続人となったことを知ったときから3カ月以内に家庭裁判所でその旨を相続人全員で申述する必要があります。

限定承認の場合のみなし譲渡所得

限定承認がなされた場合に、譲渡所得の対象となる財産を相続したときは、相続時の時価で譲渡があったものとみなして、譲渡所得が課税されますので、被相続人の他の所得と併せて相続時から4カ月以内に準確定申告を行う必要があります。

これは、相続財産に被相続人の所有期間の値上がり益があった場合、その値上がり益は被相続人の所得として所得税額を清算することにより、限定承認をした相続人が相続財産を超えて債務の負担をすることのないようにとの趣旨で規定されています。

限定承認の際の譲渡所得の計算

限定承認の際の譲渡所得は、売却財産の時価から取得費を差し引いた金額となります。売却財産がマイホームであっても、3,000万円控除の特例は適用できません（この特例は、買主が家族等特別の関係にある者である場合には適用できないため）。

限定承認に基づく譲渡所得の申告によって相続財産の売却益の精算が終わっていますので、相続した不動産を売却した場合は、相続時の時価が取得費となります。

6-8 こんな仲介業者には気をつけよう①

売却で後悔しないために物件査定の基礎知識を身につける

■査定価格は売却価格ではない

　不動産を売却する際、査定価格が高値の不動産会社と媒介契約を結べば、「高く売れるのでは？」と思うかもしれません。しかし、不動産の査定価格は、不動産会社によってかなりの幅が出ることがありますし、**査定価格＝売却価格ではありません**。査定価格だけで不動産会社を選ぶと、後々こんなはずではなかったと後悔することもあり得ます。不動産の売却を考えている人は、不動産査定に関する基礎知識を身につけておきましょう。

　基礎知識としてまず押さえておきたいのが、不動産会社によって、不動産査定価格と実際に売却できた価格との差が大きいケースが多々あることです。売り出し価格・時期等を間違えると、売主が損した例もあります。一般に、不動産会社の物件サイトで行うネット机上査定では、「所在・面積・築年数・用途地域（容積率、建ぺい率）・周辺売り出し物件、周辺成約物件、マンションであれば所在階、間取り等」の情報を記載すれば、これらの項目をもとに大まかな査定価格を示してくれます。ところが一部の不動産会社では、この机上査定価格を操作して、反響が取得できるように机上査定価格を高くしている会社があります。また、机上査定では、騒音などの立地条件や土地の形、建物の不具合、建築基準法等の細かな調査や高低差の有無の確認などを行っていないため、実際に現地調査をした結果、大幅に査定価格が下がるケースがあります。

■不動産査定の依頼方法

不動産査定をする方法には、大きく分けて2つあります。

(1) 机上査定（AI査定を含む）

住所・所在、登記簿面積・建物面積、築年数、用途地域、駅からの距離、バス利用時間、住宅地図、接道方向、道路幅員、周辺の売り出し物件・成約物件などを確認し、査定価格を算出します。あくまで概算価格で、訪問査定価格との差が大きくなるケースがありますので、注意してください。特に相続時において遺産分割等の際には机上査定はおすすめできません。

(2) 訪問査定（現地確認を含む）

訪問査定の現地確認では、外観・部屋の状況とリフォーム履歴、道路からの高低差、日当たり、周辺環境、公道か私道（持分）か、接道、間口、土地の形、分割可か、適正な用途、古家であれば建物解体費用の概算、マンションであれば、修繕計画、管理費等、騒音、歩道があるか、隣地越境・境界等、役所調査等、不動産市況・引渡希望時期等を考慮して確認を行い、より確度の高い査定価格を算出します。そのため、本当の査定価格を知るには、現地訪問査定をおすすめします。

どんな査定も完璧ではありませんので、相場の確認を前もって自分で行っておくことが大切です。物件のあるエリアにおける不動産の売り出し価格の相場を調べ、自分自身が想定している金額が高いか低いか、適切であるかを判断しましょう。

なお、依頼する不動産会社が信頼するに足るかどうかを見極めることも大切ですが、特に不動産会社の担当との信頼関係も欠かせません。査定内容について、きちんとした根拠を説明してくれる、信頼できる担当者を選ぶことをおすすめします。

6-9 こんな仲介業者には気をつけよう②

査定価格があまりにも高い不動産会社や囲い込みをする不動産会社に注意

■契約をひかえたい不動産仲介業者とは？

　不動産会社が提示する査定額には、法的な証明能力はありません。「契約をひかえたい業者」は一概に線引きできない面もありますが、査定額を吊り上げて契約をとろうとする業者がいます。

　単純に査定額の高い業者と意図的に吊り上げている業者の違いを見抜くのはむずかしいものです。ではどうすればよいのか？　その判断基準を詳しく見ていくこととしましょう。

(1) **不動産査定価格があまりにも高い不動産会社**

　大手不動産会社・中小不動産会社を問わず、査定価格をかなり高かくして、自社の仲介（媒介）で行えるようにする専属専任媒介契約や専任媒介契約を締結する業者がいます。その不動産会社は物件が高く売れないのを知っていて、このような契約を取得しようとするのです。

　その後、こうした業者は2週間から3週間後、売主に「価格を下げましょう」と提案し、どんどん価格を本当の査定価格に近くして売却しようとします。この場合、売却時期を逃して、通常の査定価格以下になってしまうことがあります。

　考えられるケースとして、本当の査定価格が当初5,000万円の戸建だとすると、7,000万円の査定価格を売主に伝えて媒介契約し、7,300万円から売却をスタートします。

　普通は売れず、7,300万円から6,500万円に価格を下げ、それでも売れないと6,500万円から5,000万円に価格を下げ、結局、売れずに

4,800万円に価格を下げてしまうようなケースです。

(2) 囲い込みをする不動産会社

不動産売買における「囲い込み」とは、「売主と専任（専属）媒介契約を締結した不動産会社が、故意に自社のみで買主を見つけて両手取引をする行為」です。

通常、売主と媒介契約を締結したら、レインズ（不動産流通機構）に売却物件を登録し、他社の不動産会社にも買主を探してもらうようにします。他社がレインズを見て、条件に合う人がいる場合、その他社に、詳しい情報提供や物件の案内をしてもらい、購入希望がまとまった場合には契約を結びます。そして、売主は売主側の不動産会社に仲介手数料を支払い、買主は買主側の不動産会社に仲介手数料を支払います。これを**片手契約**といいます。

しかしながら、囲い込みをする不動産会社は、情報公開をなかなかしなかったり、申し込みが入っていないのに申し込みが入っているといったり、物件の案内を妨害するなど、他社の不動産会社のお客さまに申し込みさせないようにします。その間に自社が買い手を見つけて**両手取引**（次ページ図参照）に誘導します。これにより、売主は売却の機会を損失したり、条件の悪い契約を結ばされてしまう可能性があります。囲い込みによる両手取引は売主の利益にそむく行為であり、決して許されるべきでありません。

考えられるケースとして、3,500万円のマンションの売却依頼を受け、他社のお客様から3,450万円で購入の申し込みをいただき、同時に自社のお客様から3,300万円で購入の申し込みがあった場合を想定してみましょう。

売主へは他社のお客様からの3,450万円での購入の申し込みを教えず、自社のお客様の3,300万円での購入申し込みで契約をまとめてしまうのです。

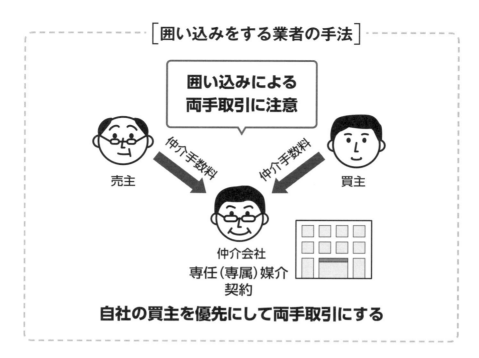

　片手の仲介手数料は、3,450万円の場合は109万5,000円（税抜）です。ところが、3,300万円の両手取引の場合は、仲介手数料210万円（税抜）が囲い込みをする不動産会社に入ることになります。売主側の不動産会社は売主のためでなく、買主からも仲介手数料を得て、自社の利益を優先することになるのです。

■**査定が高い場合は、根拠を明確にしてもらう**

　査定額が極端に高い不動産会社を選ぶと、まず、購入希望者に割高物件とみなされてしまい、相手にされません。これを防ぐには、査定額が高い根拠を必ず確認することです。高く売れる戦略があるなど、その業者が適正価格を理解したうえで、高く売れる確信があるかどうかが重要なのです。

　なお、高い査定額を売り出し価格とし、その後修正しても悪影響は残ります。売れ残りが続くと、適正価格に値引きしたとしても売れ残

りというレッテルが貼られ、売れない可能性が高くなります。さらに値下げをすると、最終的に適正価格よりも下がってしまうこともあるのです。

■査定額だけ高い不動産会社と契約しないポイント

　自分で不動産会社と担当者を見分けるポイントとして、周辺エリアの売り出し物件の価格を参照したり、成約価格の参照、不動産市況の説明、査定価格の根拠を聞いたりして、不信感があれば契約をしないことが大事です。きちんとした査定価格を示してくれる不動産会社は、査定根拠や項目などを詳しく、理路整然と説明してくれます。

　なお、媒介契約をあせる不動産会社ほど、何度も電話をしてきたりして、しつこい営業をかけてきます。こうした営業には毅然と対応することが欠かせません。

　トラブルを避けるためにも、査定価格だけでなく、信頼できる不動産会社の担当者に任せることをおすすめします。

おわりに

　土地をどう評価するかによって相続税額が変わり、正しく評価することによって大きな額の還付を受けられる可能性もあることをご理解いただけたでしょうか。冒頭で述べたとおり、当社では全国各地の税務署と、特にこの土地評価に関して地道な交渉を繰り返し、2025年3月末時点で累計194億円、件数にして2,898件の相続税還付実績があります。この実績は税務署との交渉が難航しても粘り強く交渉し、ひるむことなく税務署と戦ってきた成果だと考えています。

　この取り組みは、今後も続けていきます。併せて、ホームページ（岡野相続で検索してください）を通じた情報提供や相談案内も拡充していき、全国6支店、81名のスタッフで対応しています（2025年3月末時点）。

　本書をお読みいただいた皆さんに改めてご理解いただきたいのは、「税金を納める方々にも当事者意識を強く持っていただきたい」ということです。「相続税（土地評価）に強い税理士に、すべて任せてしまおう」と考えるだけでは、決して納税者ご本人が納得できる納税にはなりません。

　私たち相続税専門の税理士は、確かに相続税申告・納付に関して納税者のお役に立つことはできます。ところが、相続税は皆さんの利害に直結するような大きな額であることが多く、還付請求でも「税務署に申し出れば、すぐに、確実に還付を受けられる」というものではありません。何より、納税される皆さんが当事者であるという意識を強く持ち、知識を身につけていただかなければなりません。

　当事者意識の主要なポイントは、大きな額の還付を受けられる可能性もある「土地評価」について、正しい基礎知識を持っていただくこ

とです。

　なお、税法は毎年の税制改正によって変わります。改正にともない基本通達が変更されるケースもあります。土地評価についても同様に変わっていきます。納税される皆さんも、「土地評価」に関する正しい基礎知識を持っていただくとともに、改正や変更についてキャッチアップしていただければ幸いです。

　相続税申告・納付期限は相続の開始から 10 カ月以内。還付手続きの期限は相続税申告・納付期限から 5 年以内。相続の開始から相続税申告・納付期限の 10 カ月はまたたく間に過ぎ、還付手続きが可能である 5 年 10 カ月は、長いように思えても短いものです。多くの人にとって一生のうちに何度もあるわけではない相続税申告・納付と還付ですが、この間、熟慮しつつ取り組んでいくことが欠かせません。

　これからも、納税者の立場に立った、適正な相続税申告の実現に向け、納税者である皆さんと共に取り組んでいきたいと考えています。

2025 年 3 月

税理士　岡野雄志

著者紹介

岡野雄志（おかの・ゆうし）

税理士・行政書士。
岡野相続税理士法人代表社員。
1971年千葉県生まれ。
早稲田大学商学部卒業。
相続税を専門に取り扱う税理士法人の代表。
著書に『納めてしまった相続税が驚くほど戻ってくる本』（あさ出版）、『得する相続、損する相続』『相続税専門税理士が教える　相続税の税務調査完全対応マニュアル』（ともに、幻冬舎メディアコンサルティング）がある。

舟田浩幸（ふなだ・ひろゆき）

税理士　岡野相続税理士法人東京駅支店長。
1963年神奈川県生まれ。明治大学政治経済学部卒。
1987年、東京国税局に採用。東京国税局及び東京都、神奈川県の税務署にて勤務。
2016年、税理士登録。
2022年、岡野相続税理士法人東京駅支店長に就任。

土地評価に強い税理士に頼んだら
相続税がビックリするほど安くなりました　〈検印省略〉

2025年　5月23日　第1刷発行

著　者――岡野　雄志（おかの・ゆうし）・舟田　浩幸（ふなだ・ひろゆき）
発行者――田賀井　弘毅
発行所――株式会社あさ出版
　　〒171-0022　東京都豊島区南池袋2-9-9　第一池袋ホワイトビル6F
　　電　話　03（3983）3225（販売）
　　　　　　03（3983）3227（編集）
　　FAX　03（3983）3226
　　URL　http://www.asa21.com/
　　E-mail　info@asa21.com
　　印刷・製本　広研印刷（株）

note　　　http://note.com/asapublishing/
facebook　http://www.facebook.com/asapublishing
X　　　　https://x.com/asapublishing

©Yushi Okano & Hiroyuki Funada 2025 Printed in Japan
ISBN978-4-86667-663-0 C2034

本書を無断で複写複製（電子化を含む）することは、著作権法上の例外を除き、禁じられています。
また、本書を代行業者等の第三者に依頼してスキャンやデジタル化することは、たとえ個人や家庭内の利用であっても一切認められていません。乱丁本・落丁本はお取替え致します。